OSVALDO AGUIRRE

EL SUEÑO DE LAS CASUARINAS

Fotografía: Laura Cresp

OSVALDO AGUIRRE

EL SUEÑO DE LAS CASUARINAS

Selección, prólogo y entrevista
por **Carlos Battilana**

MIÑO y DÁVILA
◆ E D I T O R E S ◆

ÍNDICE

TIERRA EN EL AIRE

1864

VENDAVAL

Poemas del libro inédito
LUCERO

▎ PRÓLOGO ▎

El lenguaje en movimiento

La obra de Osvaldo Aguirre (Colón, provincia de Buenos Aires, 1964) transitó, impasible, por los debates y las disputas estéticas –sordas, más bien larvadas– del campo poético de los '90, y de las décadas posteriores, y pareció salir indemne de cualquier concesión, a fuerza de una lógica propia. Como si se guiara por un método irreductible, su escritura parece escuchar un dictado que la apela no en línea recta, sino verticalmente: la lengua en su fondo oral. Antes que de los procedimientos de una escritura, entonces, se puede hablar en este caso de la presencia de una voz en el sentido de que se asocia, primariamente, a una respiración, a una especie de gramática que no se somete del todo a las convenciones de la cultura sino que parece fundarse en una instancia de orden físico y, por qué no, biológico.

Ya en 2014, la editorial Ivan Rosado había publicado un volumen que reeditaba los primeros tres libros de Aguirre. El título elegido fue *El campo*. Un título lacónico que condensa un territorio. Un territorio donde indagar. La aparente quietud de la llanura emerge a través del lenguaje de sus habitantes. Las acciones desatendidas por la inercia del ojo urbano son registradas con la sutil escucha del que se ve afectado por la experiencia campestre. La perspectiva de Aguirre se aleja de la romantización bucólica y de las prefiguraciones idealizadas, muy habituales en el registro lírico de la zona rural. Desde el comienzo, esta poesía se distanció de las corrientes más transitadas de la poesía contemporánea. Si bien en los últimos años la poesía argentina se ha interesado en los tópicos de la naturaleza y lo silvestre, el caso de Aguirre es diferente. No apela a la naturaleza en estado puro. O no necesariamente. Recupera a los sujetos inmersos en el medio campesino. Construye un universo en el que la lengua coloquial, los avatares agrícolas y la naturaleza cohabitan para dotar de sentido a un espacio sin el previsible trazo de una imagen elegíaca.

El vaivén de la experiencia

Si recorremos la poesía publicada por Osvaldo Aguirre (*Las vueltas del camino* [1992], *Al fuego* [1994], *El general* [2000], *Lengua natal* [2007], *Campo Albornoz* [2010], *Tierra en el aire* [2010], *1864* [2020] y *Vendaval* [2023]), veremos que explora, pertinaz, casi obsesivamente, un registro oral saturado de sentencias, giros coloquiales, interjecciones, apócopes, onomatopeyas y, sobre todo, apelaciones a un auditorio que se erige como previo al de la lectura ("oíme"). Desde este punto de vista, se caracteriza por su fuerte valor acústico, tomando como base un oído diestro en escuchar los matices de la lengua oral. Así como en uno de los textos de *Lengua natal* se menciona a alguien que debe hacerse "ver el oído" por un especialista, en el conjunto lo que *se ve*, literalmente, es el oído del poeta a través de las inflexiones verbales y los tonos que recoge de otros hablantes. Sin embargo, lejos de ser mimética, esta poesía se presenta como producto de una invención, la invención de la voz "espontánea" y "natural", aspecto que se refuerza por el tipo de escenas correspondientes al ámbito de "lo corriente" o "lo trivial". Mediante una operación de recorte, selección y apropiaciones múltiples, la lengua poética –en este caso– deviene un *constructo* o un artefacto de carácter particular. Los enunciados orales se exhiben aquí y allá. Como acontecimientos singulares de una experiencia, no se escinden de ella, pues no sólo implican la posibilidad de su representación, sino que, al mismo tiempo, son su huella o su residuo. Esas breves formas orales resultan hallazgos que evocan un clima, un imaginario y un puñado de historias y de personajes asociados al ámbito rural y a la vida de pueblo. Así es como esta escritura se inscribe en el marco de una lírica narrativizada, una poesía que se dedica a contar historias. No obstante, los hechos que se cuentan transitan en la superficie, mientras que en sordina, subterráneamente, funciona un entramado de locuciones que son el verdadero motor e interés de los textos; su centro neurálgico. Los poemas de Osvaldo Aguirre se enlazan al eco de una enseñanza fundacional de la literatura argentina que tiene en la poesía gauchesca su más acabada máquina pedagógica: la lengua escrita como instrumento artificioso de la oralidad. Sin embargo, que sea artificiosa no significa que no sea verdadera pues, si "la poesía es la lengua", como dice un epígrafe de Ernesto Cardenal incluido al comienzo de uno de sus libros, las palabras poéticas serán aquellas que sólo pueden provenir del movimiento o vaivén de la experiencia, en la cual la lengua interviene y, a su vez, lucha por dotar de significado.

Ver y escuchar

El primer libro de Osvaldo Aguirre, *Las vueltas del camino* (ganador del Concurso Nacional de Poesía Liber/Arte en 1990), comienza con una sección: "Visión del paraíso". La palabra "visión" supone una mirada integral sobre un paisaje, un territorio o un objeto. Casi una epifanía y un registro de revelación. Literalmente significa "percibir por los ojos mediante la acción de la luz". Pero como el vocablo tiene más de veinte acepciones, me detengo en otra: "Reconocer con cuidado y atención una cosa, leyéndola o examinándola". A lo largo de esta obra, efectivamente, la *atención* es un modo de *leer* los objetos que rodean el yo: los yuyales, las casuarinas, los almácigos, las polvaredas, los refucilos. La atención se detiene también en el rumor de los ancestros. Entonces el *ver* se desliza al *escuchar*. No sólo vemos las cosas sino también las palabras que flotan en el aire, en las conversaciones cotidianas, en los dichos populares y en el susurro de la intimidad. La atención que emerge en esta escritura deviene frecuentemente oblicua. Es la atención distraída del que percibe otra cosa a lo que irrumpe frontalmente: "la distracción es el estilo / de atención que cultivo" explica Aguirre en uno de los poemas incluidos en *Vendaval*.

¿Qué *ve*, entonces, el poeta Aguirre? Como Juanele, a quien cita ("Aquí te vi, en la tierra pura, / en la tierra desnuda"), y de cuya poesía se nutre a partir de epígrafes, ecos e incluso libros dedicados a su obra (*Una poesía del futuro. Conversaciones con Juan L. Ortiz* [2008]), el poeta ve el campo en su literalidad y en su proyección. Pero lo llamativo es que el yo también es visto. El campo parece un panóptico sigiloso, no necesariamente cordial. A veces es un campo apacible pero, en otras ocasiones, un campo hostil. Una suerte de diálogo entre el yo y la naturaleza se despliega como un murmullo lejano de sospecha y de comprensión mutuas. La lengua de la poesía de Aguirre describe los sucesos ordinarios en términos de perplejidad. En ocasiones, narra historias tenebrosas, dramáticas e incluso graciosas. Diagonalmente no dejamos de escuchar un persistente rumor. Las cenizas de un árbol quemado, por ejemplo, son el indicio del porvenir. Las cosas idas regresan como un murmullo ancestral y como una fuerza recóndita que se nutre de las mortajas ("Tierra y ceniza hicieron / una masa grisácea / y tibia, mortaja, / o materia nutricia / de una fuerza, por ahora, / escondida"). Los objetos y los paisajes se siguen viendo. Las voces pretéritas no concluyeron. La tierra parece brotar sigilosa y lentamente otra vez.

Grados de percepción

Si hacemos una breve taxonomía, la visión que propone Aguirre tiene, al menos, tres grados de percepción. Por un lado, ver los elementos de la naturaleza (el viento, la piedra, el agua, los matorrales) consiste en registrar su historia. La historia natural de esos elementos aparece imbricada con las acciones y las conversaciones de los individuos. Una naturaleza intervenida. ¿Por quién? Por las sensaciones de la observación situadas en la niñez. A ese punto fundacional de los estremecimientos procura aproximarse esta poesía. Por otro lado, la percepción se refiere a "ver" el lenguaje en acción. Como sugerimos, la escritura de Aguirre presta especial atención a las palabras que circulan socialmente. El lenguaje en movimiento. La conversación. La charla como un rumor y como una música. A semejanza de la tierra en el aire, las palabras también se mueven y se dispersan. Por último, ver adquiere otro valor. Se vincula a cerrar los ojos y, consecuentemente, a recordar. La evocación de la infancia, aun con sus hiatos y distorsiones, brota como una visión de sorpresa y de felicidad: el origen de la poesía. "¿Qué hubo antes del principio / y qué habrá después / del final?". Cuando las palabras de la infancia flotan entre el código y la glosolalia, cuando el código aún no es fijo ni definitivo, la lengua es instrumento pero también objeto de sí. La lengua es el órgano del recuerdo visual y auditivo. Se cierran los ojos, y se ve aquello que aún sucede como reverberación: "y las antiguas / conversaciones nocturnas / en el corredor / continúan / y se expanden, / como el propio universo".

Ver y escuchar, entonces, no son procesos de aprehensión definitiva sino ejercicios de expansión. Lo que sucedió alguna vez de manera intensa sigue ocurriendo. En esa actualización reparan estos poemas. Poemas de versos libres que van hilvanando pacientemente escenas sin ningún tipo de estridencia. En ocasiones, son poemas largos; en otras, breves. En alguno de los libros el espacio en blanco de la página actúa como significante y no como mero soporte. En otros, aparece la forma del poema en prosa. Mediante el usufructo de temas y tópicos situados en una topografía particular, la figura enunciativa se desplaza silenciosamente. La experiencia, que es la base de esta escritura, se alimenta del pasado, del presente y del porvenir. El poder de evocación de la poesía revive los eventos pretéritos, aun en las fallas del recuerdo. Los hechos que irradiaron una emoción se actualizan y, al mismo tiempo, se fugan hacia el futuro, son evanescentes, nunca terminan de suceder.

La duración del tiempo

La evocación de un mundo por la vía oral tiñe uno de los libros fundamentales de la producción de Aguirre: *1864*. Este libro, ganador del "Premio Provincial de Poesía José Pedroni" en 2019, evoca la historia de una moneda. El libro se divide en cuatro partes. En una de ellas reconocemos la causa del título. 1864 es el año de nacimiento del bisabuelo que legó una onza de oro acuñada a principios del siglo XIX. La onza pasó de generación en generación como herencia familiar, y el sujeto poético se empeña en interpretar su sentido actual. Al inicio, la onza representa la despedida del bisabuelo a su progenitor. El hijo abandona España y esa moneda será un modo del recuerdo y también una forma de la protección paterna. Lejos del valor de cambio, la onza que permanecía en una caja fuerte es rescatada por el poeta como un "tesoro" asociado a la memoria y el legado familiar. Guardar una onza de oro por tres generaciones podría tener un significado económico, pero la cadena de sentido sostenida en la herencia se transforma a lo largo del tiempo. El poeta procura descifrar, mediado por ese objeto, uno de los acontecimientos decisivos: el silencio del padre. Recibir el silencio paterno como herencia no sólo es un enigma sino también puede ser una especie de padecimiento: "Se pueden pensar muchas cosas del silencio de un padre, pero ninguna es definitiva".

Una de las preguntas que deja el libro es qué significa guardar cosas, atesorar. E incluso, extendiendo la pregunta, para qué acumular objetos, cuál sería el sentido de esa herencia. Quizás no se pueda guardar "todo", pero a las cosas que se guardan con devoción (los "tesoros" del recuerdo) posiblemente se las dote de un aura. El libro, justamente, registra algunas escenas asociadas al acto de guardar. Ese tópico que en la literatura argentina podemos asociar a la obra de Darío Canton en una dimensión hiperbólica y extrema, aquí reaparece. ¿Qué significará guardar una onza de oro sin otorgar al objeto un valor mercantil? Un aire de misterio atraviesa esta pregunta. Un "profundo secreto" no se termina nunca de dilucidar aunque el sujeto poético se empeñe en descubrir algo que no sabe y que quizás no sabrá nunca. El secreto parece situarse en los datos e informaciones que se proporcionan pero que asoman escamoteados y pronunciados a medias. En uno de los poemas se menciona que en la infancia había "una pila de Billiken / en una repisa del corredor / y los diarios no se tiraban"; en otro poema se dice que la caja fuerte tenía "papeles y documentos familiares" ya caducos. Almacenar cosas para legarlas al futuro no deja de ser un enigma para quienes reciben esos objetos en un nuevo contexto temporal.

1864 es un libro lleno de afluentes y digresiones cuyo efecto inmediato es, otra vez, la sensación del habla. El libro da cuenta de la "añoranza" de ese mundo atravesado por discursos diversos. No se trata de una nostalgia molesta que detiene el fluir del tiempo sino de una vaga melancolía por aquello que se vivió durante un lapso determinado en un sitio donde "no faltaba nada". El paraíso rural es el paraíso verbal de la infancia. De allí que se evoque como un hecho crucial el aprendizaje de las palabras. Como todo buen libro de poesía, de manera velada siempre hay una reflexión acerca de la propia lengua, que es como ir al origen del mundo: "Aprendí estas palabras: brucelosis, mancha, carbunclo. // La brucelosis no tiene síntomas notables a la vista, y se puede contagiar a las personas. // La mancha se observa en cierta dureza de la carne. // El carbunclo es un grano grande, hinchado, color vino. También se contagia a las personas. // Son cosas que contaste tantas veces."

La acción de la lengua

En "El jardín secreto", texto escrito para el *III° Congreso Internacional de la Lengua Española* celebrado en Rosario en el año 2004, Juan José Saer explicaba que en el interior de la lengua materna puede haber otra de "uso privado". Menciona a *Altazor* de Vicente Huidobro y *Residencia en la tierra* de Pablo Neruda como casos emblemáticos. Manifestaba, no obstante, que *Trilce* de César Vallejo es el caso ejemplar en el ámbito de la literatura latinoamericana de una invención lingüística dentro de los límites de la lengua heredada. Vallejo de manera radical concibe una lengua dentro de otra: "Tahona estuosa de aquellos mis bizcochos / pura yema infantil innumerable, madre". Aguirre se inscribe en esta tradición ya que hay un efecto de extrañamiento en la propia lengua a partir de los residuos del habla comunitaria. La invención es paradójica pues se forja con elementos ya existentes y cristalizados. Osvaldo Aguirre construye una lengua hipotética en el interior del idioma, y con ese gesto hace lugar al nacimiento de una realidad verbal que no sólo da cuenta de un mundo sino que también lo funda.

La poesía de Aguirre insiste en reconstruir cuadros minúsculos de índole cotidiana (escenas de almuerzos, sobremesas, diálogos efímeros, conjeturas acerca de un posible aguacero, los amoríos de la modista y el viajante, un listado de remedios caseros, una partida de naipes en el club Sportivo Agrario). El sentido más notable de estos hechos parece apoyarse en el avatar digresivo de los días pero, al mismo tiempo, tomar nota de ellos no desemboca en una condescendencia pueril ni en un elogio benévolo de la "sencillez" y la "cotidianidad". La poesía de Aguirre desliza su atención, más bien, a la acción de la lengua como un dispositivo primario y casi instintivo que se aleja de la secuencia lógica y que encuentra, extrañamente, su verdadera propulsión en los estereotipos y los clichés, que funcionan como los soportes rítmicos y musicales más preciados del habla. De ahí que lo "natal" de la lengua remita a un estrato pulsional en su dimensión fundamentalmente rítmica. Al constituirse en fórmulas cristalizadas y responder a condicionamientos de fijación sintáctica y semántica, los automatismos del lenguaje, al momento de su lectura, disparan un nuevo sentido en el contexto discursivo del poema y promueven una suerte de extrañamiento: "Claro, con el asunto / de la despedida / y que pin que pan / nadie le llevaba / el menor apunte".

Alejada del ingenio metafórico, distante, a priori, del empeño combinatorio en el plano de la imagen, apartada del remate eficaz, esta poesía conjura la elegancia letrada a fuerza de una secreta, silenciosa fluencia, que la convierte, sin mayor estruendo, en una escritura de un depurado estilo a partir de una economía del montaje que se alimenta de diversas voces. ¿Qué ocurre con la enunciación, entonces? La poesía de Osvaldo Aguirre contiene numerosas descripciones. El *yo* a cargo de ellas, en apariencia reservado, testigo presencial que apenas interviene y se demora discretamente en lugares, objetos y situaciones, de pronto diluye los límites enunciativos mediante expresiones impersonales, que comprometen la enunciación del *otro*, en este caso el lector: "Junto a la fogata, / que crece sin cesar, / es un infierno: / no se puede estar". Si el carácter dialógico de una literatura plantea una apertura y una interacción con un auditorio, los poemas de Aguirre no sólo contienen constantes apelaciones sino que, sobre todo, reproducen enunciados ajenos que se vuelven, progresivamente, propios, y viceversa. En ese universo flotante, las descripciones y las voces que intervienen en el texto confeccionan una rara alquimia que nunca se termina de acomodar ni reconoce fronteras precisas, como si la lengua poética de esta obra evitara la cristalización que, paradójicamente, es el afán de su reflexión y el objeto de su materia.

Carlos Battilana

OSVALDO AGUIRRE

EL SUEÑO DE LAS CASUARINAS

LAS VUELTAS DEL CAMINO
(1992)

Las vueltas del camino

En la calle de paraísos
amarillos,
hacia el campo de avena
que ya, sí, verdea,
tupida y pareja,
se levanta,
con las hojas que lleva
y trae la fresca,
una voz:
buen día, buen día.

El chorro de agua fría
al surgir, descontrolado,
de la canilla falseada
choca contra las paredes
de la pileta, salpica
y se escurre, veloz,
por la pileta.

La Estanciera quedó,
toda la noche,
junto al molino.
En el asiento
de la cabina, una campera
de corderoy marrón,
la boina, una linterna.

En el suelo,
cubierta por una lona
engrasada, gruesa,
la escopeta.

*

Inclinado sobre la pileta
esquiva, ah, está fría,
está fría,
      hasta que pone
las manos bajo la canilla,
llevándolas a la frente,
las mejillas, el cuello,
una vez, y otra; alisa
y peina con los dedos
empapados de gomina el pelo;
como un boxeador adelanta
la cara hacia el espejo
que devuelve, amarilla,
picada, una sonrisa.

Viene aclarando el cielo
y por la banderola, llena
de cagadas de palomas,
con el lío de las gallinas,

que baten las alas al caer
de la enramada, y el canto
en posta de los gallos,
desperdigados a los cuatro
vientos,
llega, de hojas pisadas,
como si resbalara en la baldosa
pulida del corredor,
una voz.

Viene aclarando el cielo
y los gallos, alborotando
a las ponedoras,
inician, con enérgico
pico, el herido cogote
encocorado, la riña
de los cantos.

*

En la cocina,
la hornalla de azul
y la enorme pava
a un lado, destapada,
humea...
Sobre la mesa, el pan
abulta la bolsa

y bajo un mantelito
bordeado de moscas,
el frasco espeso
de dulce y la bombilla,
tibia todavía,
inclinada en el mate
vacío.

Entorpecido por el sueño,
o por los gatos que vienen,
con las colas erectas,
apurados, a restregarse
entre sus piernas,
abre una tras otra
las puertas de la alacena
por azúcar y yerba.

En una caja de curabicheras,
escondidas bajo la alacena,
entre manuscritas recetas
de cocina, diarios y libros
de cuentas, con anotación
alguna, en lápiz y al dorso,
de nombre o lugar o fecha,
las fotos de comunión,
de la vez en "las sierras

termales", el último viaje
para el Chrysler, herrumbre,
chatarra, y el casamiento,
del deseo que pases
un feliz día de tu santo
y la Torre de los Ingleses,
de la capilla de Morante
que está, en la calle última
del pueblo, todavía,
y el cementerio, los muertos
de Pavón, de Martín González
y Ariano, subidos a la troja.

Huelen, clavan las uñas
en el canasto de la leña,
en un marlo, con fuerza;
huelen, el cuchillito
que no corta y el pan,
las migas pegadas con dulce
al mantel cuadriculado;
clavan las uñas, en las patas
de la mesa, en el plástico
de la silla, con fuerza;
porquería
camine   fuera
fuera   porquería

*

Bajo la mirada del General
y del Quédice, que lo siguen
a todas partes,
quita una lona húmeda
y mugrienta,
alza y sopesa la escopeta
olvidada en la cabina,
con una campera de corderoy,
la linterna, la boina negra,
y apunta,
encimado el caño
sobre la rueda de auxilio,
esquinada en la caja
de la Estanciera, al vacío;

baja el arma, achica
los ojos y al corazón
que forman las hojas
amarillas, latido,
digamos, de rocío,
apunta
y disparan en un pique
hasta el árbol de los nidos,
con todo, torean furiosos

bajo un ralentí de bolillas
y hojitas, como en potrero,
a la zaga de vacas emputecidas,
pisotean, comen los huevos
emplumados, torean
como ante el auto que pasa,
con su cortina de polvo
a la rastra:

carpinteros
carpinteros de mierda.

Nos apeábamos
y los perros, en una puerta
y otra, como preguntando;
no hacían nada, daban vueltas
en torno al auto,
meando cada uno
una llanta.

Todo tapera.
No hay luces
ni se ve el auto
donde sabe verse;
se han ido, parece.
Al pueblo,
otro cementerio.

Vienen de una noche
de guardia, al pie
del molino uno,
en la vereda de musgo
del tanque australiano
otro, y con fiestas
y zalameos lo siguen
a todas partes: bueno,
bueno, quieto.

*

¿No es otra, más limpia,
fresquita, cuando se arrima
con la calabaza, que golpea
para asentar la yerba,
mientras espera el anuncio
de la pava, antes de abrir
los postigos de par en par?

¿No es otra,
cuando la luz, bueno,
la besa y baldea?

*

sí la yesca   y ¡ah!
   la linterna   ¿tiene
pilas nuevas?   la yesca
   la yesca   bah ¡por mí!
      la cantimplora   ¿está?
las dos cantimploras   sí
      la ginebra   ¿están?
sí   la ginebra   ¿llenas?
   y los cigarros   ¡pero!
porque allá   en la guantera
      los cigarros   allá
no hay nada   ¿con la campera?
sí   todo tapera   ¿están?
eh pero había   en aquel rancho
   ¿hace cuánto?   o bajo la boina
en aquel rancho   dijo el carancho
      había pizarras   ¿te fijaste?
   voces como campanas   haber
había   dijo la tía   no
   nadie   nada   sí al pueblo
otro cementerio   no   nada
                  ¿nadie?

      *

Desde su altar, techado
de yuyos, una virgencita
del socorro mirará pasar
transportistas de ganado
y cereales, linyeras,
viajantes de laboratorio
y comercio, tractoristas;
un sulky descapotado,
bandurrias reunidas
en asamblea a la vera
de una laguna,
con las vacas que llegan,
con la tarde que cae,
un pibe, en cueros,
que pica sobre asfalto
con los talones sucios
y descalzo, un petiso
perezoso, arruinado.

Sin persignarse,
podrían cortar los yuyos
mejor, ¿no?, pone segunda
y frena.

No veo que venga nadie
de este lado: nadie,

no veo. Será el feriado,
el remate suspendido
por lluvia, en fin,
nada, no, nadie.

Allá: a ver, qué es eso,
cargado, de garrafas parece,
no, porquerías, trastos,
un Bedford, no: a ver.

La palanca de cambios
queda en punto muerto
y las ruedas delanteras
sobre el desparejo borde
de asfalto, en retroceso:
hay tiempo, vamos a esperar,
a dejar que pase, que pase
y se adelante, qué apuro hay...

Entre los hombres acodados
cada uno a su ventanilla,
la vista entretenida
en una zorra del agua,
cuánto que no se veía,
en el refucilo de un cuis
por el camino, la radio,

y eso que la batería,
pasa como una pieza,
una pieza, vé, de tango,
unas voces de descarga,
extraña, a no ser
las de "La hora del campo"
por ele erre veinticuatro.

Después de comer, levantada
                              la mesa,
o al caer la tarde, para tener
un pronóstico del tiempo,
o en cada descanso,
junto al calentador, la radio,
qué alto el volumen,
ocupaba el silencio de platos
y cubiertos en agua caliente
y detergente, o el silencio
de los hombres acostados
al amparo del paraíso,
con papel y tabaco,
o el silencio del mate en rueda
hasta la entrada, sobre nubes
en temporal, del sol:
hablaban, si no, con los gatos,
que parecen personas,
o con los pájaros.

La voz chillona, pero familiar,
de un relator deportivo,
exasperado, al parecer,
por el comienzo del partido
"esperado", "decisivo", etc.,
aunque pausada por la idea,
la tanda comercial, la nueva
idea del comentarista,
despabila los ánimos.

Y cómo va,
era una pregunta,
o cómo salió,
el partido.

Y quién hizo
los goles,
y cuánto le falta,
y es el primer
tiempo, y están
en los vestuarios,
y ahora vuelven
a la cancha,
y no hay cambios.

*

En el camino se hace,
se rehace el recuerdo:
un viento de quema viene,
callado, de la tapera
amarilla y llovida
donde la huerta, orillada
por cañas, me imagino,
zumbante de colmenas,
habrá sido –o las aulas
y el salón de actos,
ocupados hasta el techo
por bolsas con semillas
y las altas vigas,
con bebederos de agua
opaca, envenenada.

Un tufo de quema,
balizas nocturnas,
parvas de hojas y paja
contra un vaivén
de campanada subiendo,
contra las palabras
de andar a caballo
o de recibir las visitas
del domingo o de armar
tramperas, con pega pega,

o contra los quiero,
por el mucho vino,
de jugadores alucinados
por tapitas de cerveza
en el bar almacén,
de levantadas veredas
y ventanas tapiadas,
por cambio de dueño,
o de ramo.

golpea las manos pero no hay
sí   nadie   se han ido
no   golpea   golpea
nadie   sí   nada
no   nada
nadie

                *

Una suerte de gravitación
familiar lleva no al patio
de la rueda del ya tomé
y del ahora a quién le toca,
para la discusión del estado
del tiempo, no,
ni al amparo de la calle de paraísos,

para echar una siesta
o liar cigarros, no-no,

al campo vecino, sembrado
de historias y bolazos de lloronas
que me buscan o te buscan
de troperos perdidos
en un banco de neblina
o de difuntos levantándose
con la fresca, o del viejo
Rincón, que te lleva
te lleva al toldo de cueros,
los festines de carne chamuscada,
las hogueras de mierda,

al campo de caza, desconocido,
casi, como la exacta cavidad
de la mano que contiene y ofrece
la calabacita curada,
o como el fluir entre la hojas
de las sirenas,
sí, que las hay, o las hubo,
las sirenas de la brisa.

*

Pasan, seguidos por jaulas
de potrillos de carrera
o de vacas apretadas,
rumbo a los corrales
de la feria y del matadero
o al fardo de alfalfa,
el bebedero, la sombra
del haras, y dejan,
sobre el poceado asfalto,
con el trazo de los neumáticos,
un rastro de bostas endurecidas,
aderezadas, diría, por el sol:
puff...

A la carrera
bajan de la jaula,
picaneadas:
se juntan en la manga,
se enciman y pisan,
una se para, van a romper
alguna tabla.
En el corral giran,
giran y se reagrupan,
asustadas.
Los toros aparte,
contra el alambre,
y mirándose con ganas.

Picado de curiosidad,
por habérsele dado el paso
cuando venía lento y lejano,
el conductor retira su mano
izquierda del volante
y llevándola por encima
de la cabina casi
saluda al hombre,
a los inmóviles hombres
de una Estanciera,
sí,
de una Estanciera
frenada en el umbral
de la ruta, que responde
con una bocina larga,
asordinada.

Sin pausas, la voz atenta
del espiker anunciaba
a Vacca; Marante y Valussi,
ex back de La Paternal,
Sosa, Lazzatti, el pibe de oro,
y Pescia; Boyé, Corcuera,
Sarlanga, Severino Varela
y Pin, en la cancha.

En bajada,
no sin trastabillar
a causa de la velocidad
con que quiere esquivar,
al pedo, los pozos
que tuercen y enderezan
la huella, la Estanciera
cubre de polvo un cartel
que por encima de pastos
crecidos, en letras blancas
sobre un fondo verde claro,
con rayones de confusas
inscripciones, nombres,
corazones flechados, dice,
en su parte superior,
"Oratorio Morante"
y debajo, menos claro,
"Cementerio de Pavón".

*

Y salieron los galgos.
En el campo que declinaba
hacia la ondulante,
nada caudalosa, cañada,
no se sacaron ventaja.

Parecieron detenerse,
bajo un escándalo de patos,
antes de alcanzar el agua,
en un punto perdido
para la mirada.

Entre los tablones,
medio desclavados,
de una manga,
la cabeza piramidal,
realzada como si casco
fuera, la membrana
de la garganta, hinchada
al latir: la iguana.

Yo, no la vi.

Daría entrada,
en medio de alaridos,
golpes de picana
y silbidos,
del potrero, arruinado
por la seca nunca vista,
al corral, de postes
tumbados, desalambrado.

Al pie,
hicimos un fuego:
un fuego para templar
la marca, para las manos
azules de rocío y escarcha,
para la charla, para la pava.
Y le dimos las bolsas de chala,
los trapos y los papeles
de diario, la leña
que dejó la mañana.

Cuando se sabe cocinarla,
no como la de vaca,
que se pone temprano,
y salada, a las brasas
y lleva hora, hora y pico,
para volverla sobre la chapa,
es sabrosa, y no cae pesada:
chule chule chule.

*

Y volvieron,
con la boca vacía,
trotando a la par,
sin parecer cansados,

el General, el Cuál
y el Quédice.

No sé. Daría entrada,
o apartaría, para vacunar
o mirar la embichada,
la caída, la empastada.

＊

Se agazapa, desliza el cuerpo
entre los alambres y pasa,
pienso, el maletín de sueros
y vacunas, de antibióticos
y agujas. En la tierra dura
y agrietada del corral,
hay una vaca sola, echada,
con un fardo, intacto.
Ni hace falta tenerla:
queda, en el aire,
el olor del curabichera.

Para cerrar el molino,
que vuelca y se queja,
para soltar los perros
–allá, en la subida

vereda de ladrillo
del tanque australiano,
alumbrado por un haz
azul, el Leal,
que sabe, va y viene,
va y viene;
allá, en una grasienta
cucha de cemento,
el Cuál troza y roe
unos huesos;
linterna en mano,
en una pelea
contra tábanos y mosquitos,
él se pierde en la calle
de paraísos amarillos.

*

Disimulados con tierra
y paja, en agujeros
acechados por hormigas
y ratas, los guardan
–apenas tienen clara.
No hay reclamo que valga
ni pueden tampoco
tenderse con comederos,

arena o bebederos,
trampas.

Los pedazos de cáscara
de mandarina
quedan por el piso
como sus rastros
en la quinta.
Separa un gajo,
lo lleva a la boca
y escupe un gargajo
amarillo, con semillas.

Al ser desprendida,
tras una resistencia
opuesta por la rama
que, libre de su peso,
hace vibrar las hojas
quietas, la mandarina
muestra, descascarada
casi, y medio exprimida,
el mordisco de una rata.

El cuero, que pagan
por bueno para bolsos,
carteras o zapatos,

es lo que quiero:
guájale guájale.

En una lomita,
bajo la redondeada sombra
de mandarinas,
oculta por yuyos y manzanillas
la ancha boca que franquea
los pasadizos de su cueva,
escarbados, tras probar acá y allá,
en un sitio considerado perfecto
o imposible de ser anegado,
igual que las hormigas,
la mulita
hace entraña de la tierra
y evita el peligro de ser vista.

Buscan, con miradas
entrenadas en mudas
consultas al cielo
y la tierra sembrada
y barrosa, buscan
hasta que la noche
y no se ve, propiamente,
ni a dos pasos, nada.

Nublado, leve descenso
de la temperatura
augura la radio.

¿Lloverá?

Las estrellas, el rumbo
del viento, la luna
y su halo, los alguaciles
en manga, son datos.

Después de cenar
poco y en silencio,
el oído alucinando
ruidos de tan atento,
salimos a mirar
el cielo.
Cómo se ha puesto.

Fumábamos.
¿Lloverá?

Dicen. Tanto va el agua
que al final la tierra
no chupa nada:
la pantanera prueba

una huella de charcos
que llovizna en la luz
de los faros: patina,
vibra la carrocería,
patina y se encaja.
Habrá que dejarlo,
volverse, esperar
que despeje y componga
–supongamos.

Sucesivas hileras
desparejas de eucaliptos
allanan, empinado
contra la intemperie
por cazadores furtivos
seguro, linyeras
o catangos, un claro.

Encimaron, en una pila
que desmoronaba y rehacía
cada descarga, unos palos.

Huellas. Súbita llaneza
en la maraña de pastos,
círculo de ceniza.

Supongamos. Descarga
bártulos y atado,
puntea, carpe un rato,
machete en mano,
el suelo enyuyado;
tiende un cuero,
espera, una arpillera,
que amanezca:
allana un claro.

*

La disposición de los platos,
con los cubiertos al costado,
de los boles con la ensalada,
sin aderezar, y las jarras
de vidrio turbio de tinto,
de los sifones de soda,
la cesta del pan y las gaseosas,
parecían ordenarse
alrededor de la fuente oval,
de loza blanca y flores
azules en los bordes,
donde servirían, trozadas
y con finas rodajas de limón,
las presas del pollo asado,

dando voces, en el patio
chico, en las piezas,
de llamado a la mesa.

Vamos este cuchillo
     no corta ¡Pero!
¿quién está en el baño?
     habrá que afilarlo
       vamos   ¿y yo dónde
me siento?   Lávense
     las manos servime
¡ya voy!   Vamos

Por un hueco abierto
entre las sucesivas filas
de eucaliptus
al volante uno,
el otro con la linterna
para marcar el estado
del terreno y la dirección
correcta, entraron
la Estanciera.

¿Prendió?

Bajo los palos
secos y finos,

apartados de la pila
y empalmados,

para comer, espantar
los terribles mosquitos,
para las manos callosas
y frías, para la pava,
para la charla:

¿prendió?

*

Es un fuego.

Con la hoja mocha
del cortaplumas
serrucha la etiqueta
que sella la rosca
de la petaca de ginebra.

le hará daño
   sí no diga
¿quiere un trago?
y tendré   que llevarlo
   sí   después

para sacarse   ¡hombre!
   el frío   la noche
¿quiere?   pasar
            ¿quiere un trago?
   no ve   sí   ya-
a la cabeza   no diga
ya se le sube   ¿quiere?
            ¿quiere un trago?

Salimos a mirar,
de a uno, el cielo.
Para cerrar, de paso,
el molino, entrar
la Estanciera.
Fumábamos,
en silencio.

Alguien se paraba
contra un paraíso
–la orina resbalaría
en la corteza, haciendo
burbujas, un charco
en el suelo.

Los mosquitos, pá,
y los tábanos:
cómo se ha puesto.

Es un fuego.

Bebe un sorbo,
Tose y escupe.
Bebe otro sorbo,
y lagrimea,
se le pone
como un tomate
la cara.

Repasa con manos
sucias el pico
de la petaca
y convida, la voz
tomada.

Veo doble: veo,
sin que corra viento,
camisas, mojados
overoles ombú
sobre una soga,
enrrollados.
Ajá. Veo, en la batea,
que pierde, se ha formado
un gran charco, agua
enjabonada en el mosaico.

Veo casillas de chapas
de zinc,
con tenderos de ropa,
banderas al paso
de los trenes de carga:
los vagones azules
y el del guarda, naranja.

Veo, suspendido
sobre un jazmín
al aletear, al picaflor.
Lo vi.

el cielo está estrellado
    estrellado   salimos
todo el cielo   a mirar
    está estrellado
y nada   es un fuego
    difícil   de viento
        que llueva
fumábamos   sí
    no creo   el cielo
no   que no llueva
    es un fuego   difícil
no   que no llueva

Brilla, en el suelo,
la petaca vacía.
Una por una,
en las cenizas,
se apaga
la conversación
de las llamas.

Hasta mañana.

AL FUEGO
(1994)

El encuentro

a Christian Kupchik

I

Mientras las mujeres juntan
las sobras en la fuente,
apilan platos y vasos,
sacuden el mantel
en el patio y se ajustan
el delantal y los guantes,
ya estamos viendo,
desde el corredor,
si viene el Negro.

¿Con quién juega
Agrario?

Sin terminar el café
nos levantamos de la mesa.
Tía, el partido de Sportivo
Agrario –no escucha nada–,
el partido de Sportivo
Agrario –el rojiblanco.

¿Se van para la cancha?
En la entrada frena
el Negro la chata.
Al llamado de la bocina,
el motor en marcha,
salimos con los perros
como tiro.

Mientras, las mujeres
suben las sillas a la mesa
–menos la tía–, baldean
el corredor y la cocina
y, antes de la siesta,
van a ver si las gallinas.

Juega un amistoso
con un equipo de Peirano
–¿de Peirano?– que viene
de empatar en Alcorta
con Aprendices, que viene
de ganarle a la tercera
y algunos titulares
de Central Córdoba.

II
Han puesto redes nuevas
en los arcos y cal
en los límites del campo.

Alrededor del alambrado
estacionan las bicicletas
y los autos. Avisos fúnebres
–¿quién murió?–, relatos
de otros partidos, música

y cotizaciones de cereales
se mezclan en las radios.

En bandada, los chicos
rondan los vestuarios,
improvisan una tribuna
con cajones de frutas,
arman un Boca River
que interrumpen
los que buscan ubicación,
el vendedor de helados
–aturde con una corneta–,
un viejo que reparte
anuncios de un remate.

Los hermanos Roma
se prenden al picado,
uno para cada equipo:
son grandes.
              No vale fusilar,
a los cinco cambio de arco,
el que la tira la va' buscar.

Un concierto de bocinas
saca de pronto carpiendo
a los perros. Se arrima
el público al alambrado,

grita, chifla y vuelan gorras
y boinas mientras los chicos
revolean por la manga
sus camisas;
de espaldas a la cancha,
con los brazos en alto,
aunque no les hagan caso,
los hermanos Roma
cantan "Agrario,

         Agrario".

En fila india y al trote,
rumbo al centro del campo,
ingresa el once rojiblanco.
Vamos detrás del arco.

III

¡Cuervo! ¿Qué cobra
el árbitro? Hace seguir
y era fúl: ful, era.
Se iba por la diagonal,
atrás venía el diez:
lo desparramaron.

El arquero nuestro
es un desastre.

Sale a destiempo,
inseguro,
y no sabe achicar.
Pero esa defensa
hace agua: si el nueve
la agarra, por el pase
de algún volante,
o robándola de salida
y se acerca zigzagueando
al área –su melena
agitada por el viento
y la pelota cosida
al botín– esa defensa
hace agua.

Reviente Andresito,
reviente: a la tribuna,
a los altos eucaliptos.
Falta alguien que piense.

Y cuando el nueve
la recibe en la puerta
del área –su melena
agitada por el viento–,
sabe mover el cuerpo
esperando la subida
del lateral –en el medio

se pierden las marcas–
o tirarse una chance
desde media distancia.

Ojo que sube nomás,
por la punta, el lateral,
como una luz: solo,
                              solo,
solo.
            Se desespera
la defensa, y el arquero
pensando en las nubes.
Contra el banderín
del corner, mientras el árbitro
sigue de lejos la jugada,
y no hay lainman,
Andresito la saca.

Al paso toman posición
los jugadores en el área:
parado junto a la pelota,
la vista en el arco,
el lateral espera el silbato.
Negro borracho,
culo roto hijo de puta,
sorete, gorreado, le dicen

los hermanos Roma,
detrás del alambrado.

Atropella el cinco,
supera en el salto
al arquero
y en un rincón,
de cachetada,
sin tocar las mallas.

Con la cabeza gacha,
los perros recorren
desolados la hilera
de autos y camionetas,
como si entendieran.

Apretando en la salida,
sin dejar que los nervios
enturbien el juego.
Así, Agrario; y toque,
respirando en la nuca
del nueve –su melena
agitada por el viento–
sin el lujo inútil
de los líricos del fútbol,

a llevarse por delante,
de prepo, una tromba
en el campo adversario,
la pierna de hombre,
y toque,
inclinando la cancha,
a matar o morir,
y toque,
　　　y toque:

así,
　　Agrario.

Penal: lo tomaron
de la camiseta.
Penal: ¿quién patea?

IV
Pedimos una cerveza
con una picada completa
–queso, aceitunas negras,
salame y mortadela–
y una ginebra para el Negro,
que se queda en el umbral
y uno diría que sueña
con las máquinas

y los tractores de la cosecha,
más allá de los silos
y el ferrocarril,
yendo y viniendo en el campo
o estacionados para la carga
en el cruce de los caminos
Calle Plata y Esmeralda.
Cuando llega la bandeja
con los ingredientes,
pedimos otro porrón.
Y lo dejamos al Negro,
tranquilo en el sueño.

Puede ser la hija,
que anduvo afuera,
del viajante: la menor.
O la que dice
     el primo Tito:
de pollera corta y descalza,
el pelo mojado y con pinzas,
y la remera bien ajustada.
En chancletas,
pateada por un cable,
aparece la patrona,
a repasar el mostrador
con una servilleta.

Otra cerveza, y un atado
de Particulares:
lo anota en la libreta.

Ella pasa las compras
a una bolsa y deja
un billete y monedas
en el mostrador:
debe ser algo de la costurera,
que no sale desde que pasó
lo que ya se sabe,
o la que dice
                el primo Tito.
Poniéndose los anteojos,
la patrona hace la cuenta.

El Negro vuelve
y se sienta.
Besa el vaso de ginebra
y rasgando con el índice
la etiqueta, como si hubiera
un mensaje en la botella,
"era más fácil hacerlo",
dice.

EL GENERAL
(2000)

Sean cuales sean los motivos políticos o personales
que me conducen a escribir algo, en cuanto
empiezo la escritura se convierte en una lucha por
dar significado a la experiencia.

John Berger

Al sur, con el viento
terrible que se levanta,
el cielo parece querer
limpiar. Pero recién
para después de comer,
cuando hierve el agua
y preparamos el café.

Y ruedan los limones
por el corredor, golpean
puertas y ventanas,
se retuercen las ramas
del sauce,
mantienen su frecuencia
las goteras en la pieza.

Canta,
        canta la calandria
en la cornisa del lavadero,
al viento que acuesta
la línea del alambrado,
a la pareja perdida
en ese mar que cubre
el campo,
        y la urraca,

desesperada, encuentra
sus huevos en el barro,
al pie de la enredadera.
Abajo,
        al sur,
                el cielo
parece querer limpiar.

        ...

Empapado de pies
a cabeza, Francisco
se quita el piloto,
las botas de goma
y sin hacer caso
de los galgos
entra a la casa:
ya hierve el agua.

–El primo Tito lo había
traído de cachorro, ¿antes
o después de la vuelta
en que ese zaino de mierda
lo volteara en el camino
a Campo Albornoz?

       –Antes,
porque todavía el tío
ataba al Lucero
cuando iba al pueblo
a comprar el diario,
no bien el silbato
y el rumor de los vagones
del tren de la mañana.

Le había gustado
la mancha blanca
que llevaba en el pecho,
pero no tenía lugar,
y además la madre
siempre se escapaba
en el celo, desconocía
si la buscaban atajar
–en la época de los perros
salvajes que merodeaban,
hechos una furia, la casa.

Ése pasó a la familia,
y lo llamaron General.
A los otros, el primo
Tito los tiró como basura,
envueltos en una bolsa,
en la laguna de un vecino.

–¿Antes
       o después
de quedar culo al norte
cuando el zaino lo volteó?
–Antes, porque a la tía
Consuelo no le atacaban
los nervios, no había
que cuidarla ni esconder
todos los cuchillos
de la casa, y Tito,
engrasado del taller
mecánico, hablaba
–las horas– con palabras
extrañas: "escudería",
"giro", "monoplaza"
y "trueno naranja".

    ...

Con las banquinas
y las cunetas desbordadas,
el agua era una lámina
pareja, para alegría
de la orquesta de sapos
y escuerzos, que aturdía,
alrededor de la casa,

en el borde mismo
del corredor; y del General
ni sombra.

...

–Lluvia como ésta
hacía tiempo
que no se veía.

Los girasoles
se asfixiaban
en la tierra rajada,
las pobres vacas
iban asándose
al rayo del sol,
que mataba,
los perros caían
fulminados
en la cocina no bien
terminabas de baldear.

Y cuántas tardes,
en que salían
al corredor a rogar
por una señal,

el viento se llevaba
las pocas nubes
y el cielo anochecía
despejado; no,
no iba a llover,
parecía que no iba
a llover, pero "una masa
de aire caliente del Brasil",
anunciada en el boletín
con los precios del remate-
feria de Colón, venía
"en viaje hacia la región",
con el alivio de "tiempo
inestable, viento del norte,
lluvias y tormentas
eléctricas, descenso
de temperatura", etc.

En lo de Amanda
no se conversaba
de otra cosa.
Yo no sé, decía
uno: si no caen
unas gotas. Y otro,
acodado con una copa:

aunque más no sea
unas gotas.

...

Desde esa distancia,
cruzado de brazos
sobre el mango
de la pala y con un pie
apoyado en la hoja,
que apenas sobresalía
del barro, se detuvo
a observar el potrero,
el monte de naranjas
y pomelos, la casa
que había abandonado.

LENGUA NATAL
(2006)

El sueño de las casuarinas

Mirá
lo que son las cosas:
se duerme una rama
en las casuarinas.

Se duerme después
de una vigilia de años
–desde que vinieron
los albañiles de Bogado
y se hizo la casa
están esas plantas.

Así dicen los paisanos.
La piedra bárbara
no dejó espiga en pie,
el tornado
se llevó techos
y silos en el pueblo,
tumbó al tren
de la madrugada
en Juan B. Molina,
pero las casuarinas
ni se mosquearon.

¿Las casuarinas?
Hacían de cuenta

que un sol radiante
las limpiaba.

Y ahora, así dicen
los que saben,
se duerme una rama.
Según he visto,
les ataca de pronto
entre octubre y diciembre:
mirá
cómo son las cosas.

La primera vez
me di cuenta
porque la yegua.
Fue un estruendo:
la rama callada
en el suelo,
no podrida ni nada,
y en las otras
el silbido de la brisa,
velándola.

Y desde que vinieron
los albañiles –de antes,
porque no había más

que tierra y animales
cuando sembraron,
en hileras enfrentadas,
esas plantas.

Cuando se duerme,
carpinteros, palomas,
calandrias, caseros,
todos dejan el nido,
porque en el suelo
no hay abrigo.
Y las otras silban,
estremecidas por la brisa.

Como una ramita,
como una hoja
que se quiebra,
como un yuyo
que uno corta
y se lleva a la boca.

Mirá
lo que son las cosas:
cuando el casero
mezcla barro y paja
en una rama extraña

anuncia el sueño
de la casuarina.

Y me di cuenta
por el llanto de los perros,
como si hubieran visto
al mismo diablo.

Pasó la lluvia grande,
pasaron las tormentas
más tremendas,
la piedra y todos
los vientos conocidos,
como una noche serena.
Esa rama silbaba,
se quejaba, crujía,
según, con las otras,
pero ahí estaba,
despierta.

Y comenté
y me dijeron
y supe
que los paisanos dicen
que a lo mejor se cansan
de tanto trabajo

con el viento y el agua,
o se agotan con la vigilia,
y que lo cierto
es que de pronto,
de un día para el otro,
se quedan dormidas.

Mirá
lo que son las cosas.
Mirá
cómo son.

Diario de un cardenal

1.
Entre las hojas oscuras
de la enredadera
el cardenal mostró
el color más vivo
del atardecer.

2.
El cardenal anda
lo más tranquilo:
no hay chicos
que lo corran.

3.
Le das maíz,
y viene.
El cardenal
ya entiende:
encuentra,
entre nosotros,
su hogar.

4.
Quién sabe
por dónde,
pero ha entrado

a la pieza.
También yo
me asusto
y golpeo, ciego,
contra los vidrios
y busco salir.

5.
Las gallinas
lo quieren picar.
Y tenés miedo
por el gato,
que finge dormir
cuando sigue
la siesta del cardenal
en la enredadera.

6.
Es lo hermoso,
decís, lo hermoso:
el rojo más vivo
en la cabecita
y el pecho,
como una medalla.
Inmóvil, oculto
tras una chapa,

uno no se cansa
nunca de mirar.

7.
Ya entendemos:
en el cardenal,
en el rojo solar
para siempre
encendido,
late
el hogar.

La maldición de Guevara

El joven veterinario
recién graduado
recorría la zona
en un Rastrojero bordó,
por una campaña
de vacunación contra
la fiebre aftosa.
                    Ese mediodía
almorzó en el comedor
de Stephenson, y sin
hacer siesta salió a la ruta
bajo el sol de octubre,
un fuego, hasta encontrar,
medio borrado por los yuyos,
el camino que conducía al casco
de lo que en otros tiempos,
según decían la gringa Irma
y otras víboras desocupadas,
había sido la estancia Guevara.

Nadie en el pueblo le dijo,
no le avisaron nada,
pero la maldición anidaba
en ese campo abandonado.
Tampoco le contaron del hijo
idiota de la familia Guevara,

que vivía como una bestia
en la enorme tapera sin agua
ni luz, único resto del caserón
de lo que en otros tiempos,
contaba el Tuerto Giacoboni
en el despacho de su panadería,
había sido la estancia
ni le advirtieron que comía
con los perros y se abrigaba
con cueros de vaca.

Una vez a la semana
el idiota salía de su casa,
el antiguo palacio familiar
donde alguna vez, decían
la gringa y otras arpías,
lengualargas que hablaban
porque el aire era gratis,
se reunieran don Lisandro,
Enzo, Luciano Molinas
y el viejo Guevara.

Para buscar la provisión
en General Conesa:
treinta kilómetros a pie,
por no pisar Stephenson,

nido de alimañas,
pensaría el imbécil,
informantes del abogado
de las hermanastras,
y porque en el campo
no quedaban caballos.

Tampoco había siembra,
noviembre era lo mismo
que abril, y no importaban
las visitas de la lluvia,
la piedra o las heladas
que quemaban la tierra,
desierto donde vagaban
vacas que se apareaban
y morían sin provecho
para nadie.

El hijo menor
de los Guevara, carne
donde la familia purgaba
culpas remotas, daños,
envidias, maldiciones
y brebajes de curanderas
pagadas por madres solteras
y bastardos, sólo hablaba
con sus cuzcos.

Se había
echado al abandono el día
en que las hermanas
llegaron de la ciudad
del brazo de un cuervo
para hacer y deshacer,
llevarse todo por delante
con órdenes y consejos,
ya que había muerto la vieja
Guevara
          –o la mataron: así
pensaba, al menos, el Tuerto,
mientras su único ojo sano
controlaba el peso del pan
en la balanza.

Pero aquella vez tuvieron
que salir de raje porque él
las recibió con la escopeta
y los cuzcos enfurecidos:
huyeron despavoridas
con reclamos inútiles
al milico de Stephenson,
que solo, según explicaba,
y sin órdenes de superiores
no podía hacer nada,

aunque tampoco le gustaba
la cara del cuervo,
y según se comentaba
en el comedor del pueblo
que había oído decir la gringa
al comisionista que viajaba
día por medio a Rosario,
el testamento nombraba
como único heredero al tarado.

Pero el joven graduado
que andaba en campaña
de vacunación vestido
como para una fiesta,
con bombachas pulcras,
camisa sin arrugas y botas
negras como el carbón,
y peinado con raya y gomina,
no conocía el cuento
de la maldición de la familia
Guevara, ni había oído
de las orgías en la estancia,
las uniones prohibidas,
las prácticas aberrantes
con niños y animales,
las muertes por encargo,

los males incurables
y el repetido enlace
de la misma sangre.

Y después de comer
en compañía de un viajante
y del milico, que vigilaba
a los forasteros de paso,
porque a los del pueblo,
por lo menos a los que tenían
menos de treinticinco,
los había visto nacer y crecer,
volverse duros como la tierra
que pisaban,
            el veterinario
rumbeó con el Rastrojero
hacia la estancia,
por el camino que nadie,
salvo el idiota y sus perros
en los incomprensibles viajes
a General Conesa, recorrían.

Al acercarse a las vacas
que pastaban abandonadas
en lo que, según contaban
en la Federación Agraria,

había sido el mejor potrero
de la provincia de Santa Fe,
el joven veterinario pudo notar
no sólo los síntomas
de una epidemia de aftosa
sino, en muchas, las marcas
de la peste bubónica
y, en unos terneros caídos
y devorados por parásitos,
la mancha, la brucelosis
y hasta un imposible moquillo,
que debía ser un contagio
de los cuzcos, o herencia
preservada por el medio,
ya que en sus libros
de texto esa enfermedad
figuraba como extinguida
entre los vacunos.
                    El idiota
había encerrado a los perros,
y apostado con su escopeta
en la tapera, seguía los pasos
del recién graduado
entre esa hacienda huraña.
Habrá pensado –imaginaba
el Tuerto– que era otro abogado,

alguien mandado para tomar
lo que él había jurado defender
ante el cadáver de la mujer
que había sido su madre,
y también su hermana.

El recién graduado terminó
su examen y por un momento
se quedó quieto, sentado
en la caja de la camioneta,
junto a la cubierta pantanera.
Preparaba su instrumental,
ya que tenía disuelta la vacuna
en agua, y lo interrumpió
la sorpresa y el envión del impacto,
el puño de fuego que golpeó
en su pecho y lo llevó de boca
al suelo.

        Su cuerpo,
tendido al fuego de octubre,
fue un objeto de estudio
para las vacas enfermas
hasta que llegó el milico
de Stephenson,
con refuerzos de Bogado.

El gran viaje de Hansen

El viaje más largo
que hizo el viejo Hansen
con la Estanciera 53
fue para que la mujer
se hiciera ver el oído
con un famoso médico
de Pergamino.

Se levantaron a las 4
para estar en la ciudad
con la luz del amanecer.
El viejo estrenó sombrero
negro y un traje azul,
y la vieja cambió el batón
de costumbre, con el que iba
y venía a través de la chacra,
seguida de gansos ariscos
y gallinas, por un vestido
gris con olor a naftalina.

El viejo Hansen sabía
que el camino quedaba
primero por calle Nación
y después por calle Plata
hasta llegar a Ocampo
y dar con la ruta que iba
para Rosario.

Los vecinos del pueblo
se hacían a un lado
cuando la Estanciera
modelo 53 cruzaba
el paso a nivel
y doblaba por la calle
asfaltada, cinco cuadras
paralelas a la estación
del tren: porque conocían
el peligro que era el viejo
para manejar.

Pero aquella mañana,
cuando se abría paso
entre los camiones jaula
y los acoplados cargados
de cereales, en la ruta,
la Estanciera parecía
recién salida de fábrica:
el viejo la había llevado
al taller mecánico
de Willy y Fritz Mann.

Estuvieron en la ciudad
cuando el sol rayaba el cielo
con tiempo de sobra

para saber cómo se llegaba
al Hospital San José y ver
a un especialista en oídos.
Era, supieron después
de ir de una sala a otra
en el inmenso hospital,
un hombre alto y medio
encorvado, que saludaba
con mano floja y trazaba
rayas en un recetario,
mientras hablaba
sin sostener la mirada.
Iban de parte del doctor
Machado, el médico
del Hospital Rural de Molina,
porque la vieja no escuchaba
si el molino perdía agua,
si el gallo colorado pisaba
a las batarazas, si los perros
anunciaban alguna visita
o no más jugaban entre sí.

El especialista se hizo
repetir tres veces cada cosa,
como si el sordo fuera él,
puso una linterna en la cara

de la vieja y les dio un papel
con sus garabatos; ella, dijo,
antes de llamar a otro paciente,
urgente se tenía que operar.

Tal vez fue por esa sorpresa,
por los nervios de la vieja,
la descompostura que tuvo,
con mareos y dolor de cabeza,
o por la mala entraña
que les provocaban una mano
blanda y fría para darse,
una mirada resbaladiza y blanca,
pero al salir de ese hospital,
aunque una enfermera
les marcó el rumbo,
el viejo Hansen no supo
cómo volver a la ruta.
Después de varias vueltas
la Estanciera disparó
para un bulevar de doble mano,
más ancho que calle Nación,
y que en una esquina se hacía,
todavía más ancho, pero mucho
más ancho, al cruzarse en diagonal
con otras dos avenidas.

El semáforo tenía luz verde,
contaba después el viejo,
pero justo en el momento
en que la Estanciera
atravesaba ese ovillo
cambió al rojo.
Era una cosa de locos:
un segundo estaba en verde,
un segundo estaba en rojo.

El viejo quiso poner segunda
y frenar a la vez, pero el motor
dijo basta, aunque los Mann
se habían engrasado de pies
a cabeza para dejarlo nuevo,
y la Estanciera se plantó
en medio del laberinto.
Risas, gritos y bocinas
aturdieron a los Hansen,
y un loco de la ciudad,
que manejaba como loco
y a toda velocidad una F-100
sin frenos, los chocó por atrás.

No se hicieron nada,
pero quién les pagaba

el susto y los daños
en la Estanciera.
Ese fue el viaje más largo,
y los Hansen lo recordaban
algunas tardecitas,
cuando dejaban el trabajo
de la quinta y recibían visitas.
La vieja entendía bastante,
gracias a unas gotas
que por consejo de Machado
se colocaba en el oído malo
antes de dormir y al levantarse.

CAMPO ALBORNOZ
(2010)

Campo Albornoz

I
Con un silbido largo
llamaba al Lucero
para ir echando putas
hasta el pueblo.

Ya en la última hora,
antes de salir al patio
y entonar dormido
las estrofas de *Aurora,*
sus ojos picaban
por la calle ancha.

Era la palma de su mano
y se animaba al primero.
Listos, en sus marcas,
a ver quién gana, a ver
quién llega a la estación
para saludar el paso
del lechero;
a ver quién en la plaza
y el último
          cola de perro.

La señorita
se quejaba de la tierra
y decía que mañana.

II
Quién te corría
sino el campo florecido
en el mediodía de verano,

los cuises asomados al borde
de la cuneta, intrigados
por semejante apuro,

los teros, que alzaban vuelo
a los gritos, como si dijeran
"aquí no se puede estar
tranquilo", cruzaban la huella
y se posaban del otro lado
y al rato, con quejas y reclamos,
volvían al punto de partida:
"esta es la última vez", decían.

III
En Campo Albornoz,
departamento Constitución,
provincia de Santa Fe
–escribió el sumariante–,
la señorita de tal,
directora de la escuela
rural, declara.

Desde el pueblo siempre
por la calle de la estación
llegaba en sulky
–tenía una capota roja
para el sol del verano,
las heladas y los temporales.

Paraba en chacras
o por el camino
a esperar alumnos,
apuraba a la yegua
y ocho menos cuarto
podía llamar a fila
ante la bandera y dar
los buenos días

donde ahora no se oye
voz humana ni corre
más que el viento,
o el simple abandono,
ni hay cosa que diga
de nuestra vida.

Todos los grados
a su cargo, de marzo
a noviembre, años
y años sin falta:
salvo esa mañana
en que hallaron
bajo el sauce
al viejo que cuidaba
el puesto de la estancia,
frito de una puñalada.

Diario íntimo

En su cuaderno anota
el día de siembra
y la verdad de la cosecha,
la fecha y el monto
de cada lluvia, aclara
si hubo piedra y otra:
qué daño quiso hacer.

No se hace líos
con tantos números
pero a fines de marzo
como maleta de loco
lleva ese cuaderno,
uno que guarda
de la escuela rural,
forrado con papel araña.

Mide el agua caída
en la quinta
y al final de la trilla
compara las cifras
de la campaña presente
y la campaña pasada,
y otra: saca cuentas
del rinde por cuadra.

Y tiene una letra
tan clara que parece
dibujar sobre las líneas
de la hoja, bien parejos,
los surcos de soja.

Al que se va sin saludar

Bajo las mandarinas
iba y venía el santo
día. Si por el camino
alguien, a las perdidas,
si la tormenta, si tal
o cual gallina, avisaba
mientras iba y venía
del alba a la tardecita.
Más cuando salías
de la cocina con la cara
lavada y la ropa limpia
y no te olvidabas de nada:
más, desesperada,
se daba cuenta, te digo.
—¿Qué? Los animales,
seguro, son mejores.

Y claro, con el asunto
de la despedida, que pin
que pan, nadie le llevaba
el menor apunte
hasta que cedió –de tanto
y tanto tirar– la correa
que la tenía y sorda
a los retos y llamados
del dueño, te alcanzó:

giraba a tu alrededor,
no te dejaba pasar,
contenta más que nada,
aunque, ¿cómo te ibas
sin saludar?

Vademécum

Se aplica un sapo
–la parte de la panza
fría– y el dolor
de muelas pasa.
Un caldo liviano
es santo remedio
para ir de cuerpo,
dar una vuelta
a la casa apenas
uno se levanta
de la mesa cura
la falta de sueño.
Con telarañas
las cascaritas
no arden ni sangran
y si se agrega
algo de barro fresco
se acabó el llanto:
nadie se rasca
las ronchas que dejan
hormigas, tábanos,
abejas. Y la tos
se va con tomas
de agua y miel
cada cuatro horas
en cucharita de té.

El guardián

Si estamos a una cuadra
es mucho, no hay vecinos
y venimos a ser primos
hermanos. Cuando salgo
al patio por el fresco
o el mate de la tarde
puedo ver, sin esfuerzo,
si él trabaja o piensa
en las nubes que pasan,
anda con los perros
o arma el Rastrojero
–o lo desarma: fanático
por demás de los fierros.

Supongo que él,
cuando sale a su patio
–nuestras casas son iguales:
adelante vestíbulo y sala
de estar, la cocina atrás
y al medio las piezas-
puede ver que suelto
al Kiper o, sentado,
escucho el partido
de Douglas en la radio
y trato de recordar
cuándo fue la última vez
que hablamos.

Parece que está mejor
en el pueblo: se va
y no se le ve un pelo.
Cae a las cansadas,
        con el agua,
antes que los lechones
se ahoguen o mueran
cagados de hambre:
hasta donde el cascajo
llega, porque en el barro
se encaja, y después a pie.
Yo miro el corral, el galpón
de las herramientas,
la casa: una tapera
que es buena para zorros,
comadrejas y perros salvajes.

El camino
en nuestra puerta,
un tramo de tierra
que alcanza la ruta
destrozada, podría ser
de las vacas, pienso,
mientras lo veo y él,
a lo mejor, mira,
podría cerrarse, digo,
sin que nadie se perdiera.

Es un atajo
que conocemos él y yo:
encajonado entre lotes
de soja, más parejo
y firme que la ruta,
mucho más parejo
y firme que la ruta,
sigue una curva jodida
si llueve y se hace bien
ancho, despejado.

Ahora que él anda
en el pueblo, perdido,
y ni se acuerda,
salgo a dar vueltas
y fijo la huella:
que la soja y el pasto,
pienso, no la borren,
que si algún abriboca
sale del asfalto
o en una de esas la pifia,
encuentre, en el campo
abandonado, la salida.

TIERRA EN EL AIRE
(2010)

REHACE su vida
entera en el fuego.

En las cenizas
descubre lecturas
del pasado,
            y no sueña: son
estampas de comunión
y bautismo, fotografías
de bodas y viajes
con gente extraña,
el manual
que explicaba las mañas
de un auto.

Qué guarda,
            a punto
de comenzar la vuelta,
sino papeles y más
papeles al fuego,
restos de escrituras,
cuadernos ocultos,
palimpsestos:
            la contabilidad
de sus días,
            un calendario

circular, secretos
que no eran
más que recuerdos
inhallables:
              con trastos,
ropa vieja, basura,
lo que no se usa
y roe la usura

del encierro
              –y neumáticos
para dar cuerpo
y luto al mensaje
que deshace el viento.

OLVIDA si hace
memoria
y con lo que resta
a la suma de silencio,
puntos suspensivos,
líneas en blanco,
se alimenta.

      Ahora veo,
veo,
     dice,
ahora comprendo.

DETRÁS suyo,
           nadie.

Es el último.

Nadie para descifrar
los secretos del cielo.
Nadie para atestiguar
a las garzas de paso
y su anuncio de agua.

Una casa deshecha
         paso a paso,
sin huellas
        ni sombras.

Es el que sella
las puertas,
      el que podría seguir
las firmas y nombres
en el camino
       y se despide
sin una palabra.

No extraña, no
busca, nada queda

ni hace falta,
es el último
y detrás suyo,
el vuelo de las garzas,
apenas un momento
antes que el agua.

VAMOS a guardar,
dice, las palabras
del hogar,

    allá,
las que vienen
            y van,

    las de llamar
a los perros de caza
y de vigilia, dice,

    las que dan
mejor abrigo.
            Tierra muerta
en la lengua.

        Y dice:
porque el día cierra
y el frío,
porque el viento golpea
en todas las puertas.

Vamos a guardar,
a guardar bien,
que no se pierdan

las de ir descalzo en el barro
o la escarcha,
las de hacer fuego
la noche entera,

las que vienen
        y van,
vienen y van,
        allá,

        en el rastro
del arado que borra
el viento.

        Lengua muerta
en la tierra.

LOS PARAISOS ciñen
el espacio de la casa,
un vacío que viste
de sombras la noche.
Pero el aroma
de rosas chinas
persiste, y las señas
de las luciérnagas.

ESTAS SON las palabras
de abril. Las que caían
y se enredaban en tus pies
a la mañana. Estas son
las que cocinaban
con pilas de marlos,
las que comían
hasta decir basta, más
no puedo. Las palabras
con que andaban
a caballo y recibían
visitas. Las de llamar
a la mesa y anunciar
el día. Las que
juntaban la cosecha.
Las de pronunciar
en voz baja a la siesta
luego de jurar por Dios
y la Virgen María, y hacer
la señal de la cruz.
Estas, las amarillas
y rojas en la planta
de ciruelas. Las hojitas
en la fila derecha
de hormigas. Son
las de hablar dormido

y las de dar vueltas
en la cama, éstas,
las de descubrir
el colibrí en el ceibo,
las de abrir el molino
y cuidar los nidos
de las tacuaritas.
Las palabras
que remueve la brisa
en lo más alto
de las casuarinas.

EN LA LECTURA
de las grietas
y de la lluvia

en las idas
        y vueltas
    de la huella

busca lo que llama
escritura secreta.

En las fallas
de lo que recuerda.

1864
(2020)

***

Hace unos días, con la lluvia, cayó un poco de piedra, pero no hizo daño. En el medidor conté catorce milímetros, justo lo que faltaba para sembrar. El campo está bien.

Vieras como escarcha el agua de la canilla. Hace tanto frío que ya no hay ropa que ponerse.

Es julio, el mes del viento y de jugar a empañar los vidrios con el aliento. Todavía da vueltas alguna chinche verde del otoño. Te veo en la cocina, inclinado sobre el mate, sumido en quién sabe qué pensamientos.

***

Aprendí estas palabras: brucelosis, mancha, carbunclo.

La brucelosis no tiene síntomas notables a la vista, y se puede contagiar a las personas.

La mancha se observa en cierta dureza de la carne.

El carbunclo es un grano grande, hinchado, color vino. También se contagia a las personas.

Son cosas que contaste tantas veces.

***

Queríamos ver el caballo. Un caballo sin nombre y solo en un enorme potrero. Más lejos, cerca del camino, andaban unas vacas. Pero no se daban ni cinco de bola.

En el alambrado un bicho canasto resistía los embates del viento de abril. Cuánto hacía que no veíamos uno.

Saltamos la tranquera y después fuimos con cuidado, por el boyero. El Terry se puso a cavar un pozo junto al tronco del paraíso. Algo había descubierto.

Caía el sol, y escuchamos el silbido. Una, dos, tres veces. Como si nos llamaras. Como si vinieras por el camino.

***

Mi padre murió el día más frío del año.

A la tarde me llamó un vecino que se ocupaba de manejar el auto, cuando él venía a la ciudad, y de hacer algunos mandados.

Mi padre solo visitaba la ciudad si tenía algún examen médico, y trataba de hacerlo lo más rápido posible.

Cuando estaba por llegar al pueblo, siendo ya de noche, observé una enorme liebre a un costado del camino. Se asomó a la luz de los faros del auto, se detuvo al borde de la huella y volvió atrás, para perderse en la oscuridad.

Pensé en la última vez que había visto a mi padre, ahora que también él se perdía en la oscuridad.

Era el día más frío del año.

Agrograma

II
Más allá del tejido de alambre
estaba la línea para tender
la ropa, unos paraísos,
el excusado fuera de uso
del que un buen día no quedó
más que una pila de ladrillos.
Los gansos pasaban en un grupo
apretado, estiraban los cogotes
y los picos, como si dijeran ojo,
mucho ojo con lo que van' hacer.
El cañaveral, muy cerrado,
era el lugar indicado a la hora
de la siesta. Las batarazas,
los pavos, un pinino, tenían
casa, alimento balanceado
y agua en latas de sardina.
Seguro que nos siguieron
los perros, pisamos sin querer
las bolitas negras que caían
de la planta de moras
y nos metimos en el cañaveral
cuando todos pensarían
que dormíamos a pata suelta.
Hubo un tero, de pronto,
que se quejó y voló lejos,

hacia el potrero. Seguro
que hacía un frío de cagarse,
porque eran los días de julio,
cuando recién empezaban
las vacaciones de invierno.
Encontramos una gata peluda,
hormigas que cargaban pétalos
de rosa china, babosas
y una colonia de bichos bolita
debajo de una baldosa rota,
y nos escondimos en el cañaveral
hasta que oímos voces y gritos,
nuestros nombres en la boca
de los grandes.

V
Antes de seguir con la novela
que tenías sobre la mesa
de luz, abrías un libro
de tapa dura y comenzabas
a leer en voz alta.
En esa época no usabas
anteojos. Te sentabas
entre las dos camas,
y si no tenías ganas
acercábamos la mecedora

para que estuvieras
más cómoda. Pudo ser
La comadreja se casa,
o *Pedrito Pereza,* o algún
otro libro que vaya saber
dónde quedó. El tiempo
es pura destrucción.
Había una pila de Billiken
en una repisa del corredor,
y los diarios no se tiraban.
Pero nos gustaba más
escuchar tu voz, hacer
una pausa para mirar
las ilustraciones, volver
donde habías dejado,
bien tapados con las frazadas.

VI
Ah, sí, en general
paraban en el alambrado
que separaba el potrero
del campo recién arado.
A la tarde las sabíamos ver
en pareja, con un poste
de por medio, muy atentas,
y por cualquier cosa,

un perro curioso, las gaviotas
que acompañaban el arado,
ni hablar si una persona,
alzaban vuelo y protestaban.
La que estaba más cerca
del camino era la guía,
la que extendía las alas
como si dijera nos vamos,
la cabeza sumida, igual
que si estuviera por atacar.
Pero volaban más bien bajo,
cada una trazaba un círculo
no muy amplio, un mojón
en forma de ocho en el aire,
y suspendidas con las patas
bien abiertas volvían a juntarse,
cuando iban a chocar,
en los mismos postes
del alambrado. Parecían
en otra cosa, miraban acá
y allá sin pizca de curiosidad
cuando nos acercábamos,
y había una línea invisible
que no podíamos cruzar.

VIII
El molino anunciaba
la dirección del viento.
Añoranza es la palabra
justa. Era tan fresca el agua,
entraba bajo el chorro
con los ojos cerrados
y al abrirlos el ceibo
encendía las hojas
y las flores más rojas
y las mandarinas,
los limones, las naranjas,
brillaban en el monte
como estrellas al alcance
de la mano. Así era,
había una canasta,
una pequeña escalera,
un gancho, y antes de la cena
la canasta, o la olla grande,
estaba llena, en la despensa
de la casa, con las demás
provisiones. No faltaba nada.
Añoranza es la palabra
justa, algo que no duele
aunque punza con fuerza,
y a veces acompaña.

VENDAVAL
(2023)

El buzo rojo

Volví a cargar combustible
en la estación de servicio
donde paramos la última vez.
Mientras el playero ajustaba
la manguera del surtidor
en el tanque y la nafta
comenzaba a correr,
saqué una mandarina
de la bolsa que me diste
cuando nos despedimos
en la puerta de tu casa.
Y entonces vi, en el asiento
trasero, el buzo rojo.

Una adolescente
que no se te parecía en nada
y su hermano aún menor
bajaron de otro auto
y preguntaron dónde podían
comprar caramelos.
El playero les indicó la cantina,
justo frente a sus ojos.
Cómo habrás buscado
el buzo rojo entre el resto
de la ropa, y te habrás preguntado
si lo perdiste o se lo llevó

el duende que aparece
cuando menos lo pensamos.
Bueno, tenías calor,
querías andar con la remera
de mangas largas y después,
en la planta del patio,
como quien va al supermercado,
elegiste aquellas mandarinas,
las más dulces y ricas
que probé en este invierno
tan largo. La adolescente
y su hermano pasaron de vuelta.
No habían comprado nada,
parecían perdidos o de pronto
abandonados en el parador.
Doblé el buzo y lo puse
en mi bolso, yo tampoco
soy un guardián del orden
y la distracción es el estilo
de atención que cultivo.
Ya no podía volver,
porque como te digo
estaba en el lugar del viaje
anterior, bastante lejos
de lo que fue nuestra casa.
Tiré las cáscaras de mandarina

en un cesto de residuos,
le pagué al playero
y me alejé todavía más
por la ruta.

Zorro

Era sabido que a esa hora justa pasaba el zorro.

Inés Aráoz

I
El viajante lo había visto
en tierras del Consejo Agrario,
un ejemplar adulto y curtido
por la vida a la intemperie
y las persecuciones de perros
y cazadores furtivos.
Su pelo negro azabache
era apenas menos oscuro
que el del cielo en la noche
sin luna. Eso fue todo,
un comentario casual,
y ah, que había sido a la altura
de la escuela abandonada,
donde una rotonda separa
el camino de Cañada Rica
y el de las antiguas chacras.
De la sorpresa, el viajante
casi se lleva por delante
la cuneta, casi choca,
casi se hace mierda,
y en medio de la nube
de polvo que se levanta
apenas puede ver
una sombra, un relámpago
en el matorral, algo que,

cuando quiere darse
cuenta, no está.

II
La última luz del día daba
en los silos color plata
del acopiador de cereal.

III
Hubo un vecino
que salió al camino
con los galgos más rápidos,
los que corrían los domingos
en la última calle del pueblo.
Y hubo otro de guardia
en la escuela, bah,
lo que quedaba:
un edificio sin aberturas,
desguazado.
También compraron
munición para escopeta
y recorrieron las taperas.
Tarde o temprano iba
a caer, estaba cebado
con el criadero de aves,
pero tarde o temprano

tenía que caer
y el campo abierto
una vez cosechado,
las pasturas quemadas
por la escarcha,
serían su osario.

IV
A falta de novedades
surgieron las dudas.
¿Y si el viajante
se había confundido?
La gente de la ciudad
no sabía mirar.
¿Si era un chancho suelto,
una comadreja, un perro
entre tantos cimarrones
que se ven?
La hora en que oscurece
sin ser de noche engaña
muchas veces, no sé.
Y no va que una mañana
el sereno llega y encuentra
un desastre en el criadero
y sangre por todas partes.

V
Zorro, los chicos
cantaban a coro
y el zorro se ponía
la ropa y los zapatos.
Hacían una ronda,
zorro, zorro está,
y el zorro se peinaba
y perfumaba con aire
de galán. Corrían
y gritaban zorro,
zorro, y se escondían
cuando el zorro llegaba
con cuchillo y tenedor
y contaba a la una,
a las dos y a las tres,
el hambre y las ganas
de comer.

VI
Pusieron más perros
entrenados y un boyero
que titilaba apenas
por encima del suelo,
entre los alambrados.
El reflector dejaba ciego,

bien alto sobre el galpón
del criadero. La vigilancia
no dio frutos, ni las batidas
de unos vagos reclutados
por el sereno, y las noticias
del viajante y el estropicio
de que es capaz un animal
en vicio se volvieron viejas.
A principios de abril
los tractores, las máquinas
y los acoplados ocuparon
los sembrados y en el círculo
de casas rodantes el rumor
prendió como un fuego
y volvió a correr.
Hubo ruidos en la escuela,
parece, y encontraron huesos
y plumas de gallina a ras
de la tierra, en una cueva.
Los perros condujeron
a sus amos por un rastro
de pisadas, pelos
y olor que se perdía
un poco antes
de llegar al pueblo,
y de ahí no los movieron.

VII
En el círculo
de casas rodantes
las palabras crepitaron
como pequeñas ramas
arrojadas al fuego
y la silueta negra
que en una de esas
merodeaba ahí cerca
cobró cuerpo y fuerza,
y hubo quien la vio
saltar de su escondite
y correr, y lo juró por Dios,
que salió como una flecha,
y hubo quien la vio
en la forma de una nube
que pasó, y estaba sobrio,
en una nube que un golpe
de viento dispersó
como impulsada por un dios
que inflara sus carrillos.
Zorro, gritaban los chicos
en el círculo de casas rodantes,
piedra libre al zorro en el cielo.

Saludos

Si Dios quiere
nos reuniremos
la próxima semana
sin falta.
Refucila, viene
la tormenta.
Si Dios quiere
esta noche o mañana,
sin falta, llueve.
Te llevo un diario,
una novela, una docena
de tortas negras.
Si Dios quiere
tendremos un día
de limpieza, de tirar
cosas que no sirven.
Y llamame, llamame
cuando puedas.
El calor alimentado
con marlos en la cocina,
y en la mañana
todas las puertas
de par en par abiertas:
que corra el aire,
que refresque,
si Dios quiere.

El Kíper, el Quédice,
el Leal en sus puestos,
atentos a los que llegan
y a las bromas:
cómo se llama ese perro,
Quédice, que cómo se llama
ese perro, Quédice,
el perro, cómo se llama:
Quédice, Quédice.
Los saludos serán
dados, y la noticia
de quién se ha muerto.
Si Dios quiere
el mismo aparato
eléctrico de radio
donde escuchamos
las primeras noticias.
El mate que tomabas
tan pensativo, apostado
contra la ventana
de la cocina, cuando el día.
Un abrazo y los encargos
para el próximo viaje:
acordate, acordate.
Sí, por supuesto,
si Dios quiere.

LUCERO
(inédito)

Frente de tormenta

Los recuerdos
no te dejan en paz,
te mantienen despierta
durante la noche,
alerta, a la espera
de algo que no pasará.
Se desencadenan
como el temporal
que pronosticó
el servicio meteorológico
y efectivamente
al salir de la ciudad,
temprano
para aprovechar
el horario de visita,
compuso un frente de viento,
agua y descargas eléctricas.
Pensé en parar
en la Shell de Escobar,
en el peaje, pero la ruta,
o más bien el paisaje,
las fábricas, el depósito de Easy,
los barrios cerrados, las casas
cada vez más espaciadas
hasta salir por fin al campo,
a la provincia, como si eso,

digo, ejerciera un hechizo,
me llevó entre formas difusas,
figuras con luces intermitentes,
intervalos de silencio
en medio de chaparrones
y truenos que parecían voces
de un dios que puteara al mundo,
a la creación, no sé.
Y en el pueblo, sin embargo,
el cielo ya despejaba,
los paraísos de la entrada
eran un escudo, una frontera
entre lo extraño y lo familiar.
Pero el mal tiempo se posaba
en tu cuarto, era el aire
que respirábamos,
como en esos dibujitos
donde una nube negra
con un rayo persigue
a una persona. Bueno,
hay cosas imposibles
para la voluntad: olvidar,
recordar, hacer que llueva
o detener una tempestad.
En el techo se filtró
una gotera y la mucama

pasó un trapo y dejó
un balde para evitar
un estropicio mayor.
Quizá faltó algo así
para contener la fuerza
que arrasó con el mundo
donde crecimos.
Pero lo que muere
no desaparece
sin dejar una señal:
entre las nubes negras
asoma un resplandor
del atardecer, todavía
más brillante en la oscuridad
que cae y se cierra,
compacta como una pared,
y en el barrial
un par de huellas ondulan,
inseguras pero frescas
y aquí estamos,
con tiempo por delante
en el horario de visitas.

En memoria

Murió Billy, ¿sabías?
Sí, en el campo
y de causas naturales.
Los perros lo velaron
hasta que la comuna
mandó un coche
para levantar el cuerpo.
Los vecinos notaron
esa misma noche
que no estaba en casa
ni en la reunión ordinaria
de memoria y balance
de Agricultores Federados.
Ese fue el comentario,
que salió por las vacas,
porque el agua y la pastura
en este invierno tan malo,
y se encontró con la Parca.
Después dijeron que no,
que Billy se descompuso
en la cooperativa eléctrica
y no hubo nada que hacer
cuando lo llevaron al Samco.
Que hizo un ronquido,
que amagó, y quedó frito.
Pero yo creo que Billy

murió en el campo,
bajo los paraísos que rodean
la tapera, o junto al arado,
el disco, la rastra, los trastos
de su vida como chacarero,
y fue una muerte hermosa.
No me lo contaron, he visto
a Billy, lloviera o tronara,
cada mañana con la Chevrolet
y detrás los galgos, el ovejero
y los perros callejeros
que lo acompañaban,
cada mañana sin falta.

El presente

Cuando un padre muere sale el sol, se abre un cielo secreto.

Ariel Williams, *Notas de una sombra*

Después de cenar
es el mejor momento
para mirar el cielo.
Corre el viento, refresca
y recién entonces
algo cede en la oscuridad
más allá de la galería
de baldosas rojas,
entre la casa y el tejido
que separa la quinta
y el monte de naranjas
mandarinas limones.
Parece mentira
pasó el tiempo
pero ahí te veo
con la linterna contra el piso
como una antorcha loca,
en la vuelta a la casa
para soltar a los perros
y fijarte que el mundo
está en calma
y las cosas velan
por un nuevo orden.
Parece mentira
las cosas siguen tal cual
apenas cierro los ojos.

Si es cierto que el cielo
es un espejo del campo,
si la materia de la tierra
combina los elementos
que forman las galaxias
si el pasado se extiende
en el horizonte despejado...
No sé a lo que iba
pero el misterio del universo
y su respuesta están cerca.
¿O no te dijeron alguna vez
que los muertos tienen
cada uno una estrella?
Claro que te dijeron.
Por eso después de cenar
y levantar la mesa
la costumbre es buscar
la casa de antes,
el camino de vecinos,
y, más, en lo que me toca,
las palabras que decías
y el gesto del enojo
o la sonrisa, la carcajada,
los suspiros y ese silbido
tan raro, inimitable,
con que andabas.

Hay tanto para ver
que uno se pierde.
Pero sé que el pasado
es lo único que vive
esta noche estrellada
en que volvés de la sombra
y miramos el cielo.

El lazo

Nadie te desconoce
mejor que yo,
y a vos, supongo,
te pasa lo mismo conmigo.
Alguien de la misma sangre
puede ser el extraño
que creció al lado
como avanza
una especie intrusa
en un patio descuidado.
Ahora, con otros
de por medio,
estamos de acuerdo:
algo más grande
que un juego de mesa
se rompió, una vez,
y el torbellino no deja
de llevarse, todavía,
lo que encuentra al paso.
La destrucción
es el lazo más firme
que creamos.
A cada uno,
entonces,
lo de cada uno:
estas ruinas
son nuestras.

Brotes de un lapacho

El lapacho rosado
es un espectáculo
entre agosto y septiembre.
Así nos dijo
el empleado del vivero
que lo plantó en la vereda
de la casa nueva
y trajo césped brasilero
para mejorar
el pasto del patio.
Nos envidiaba por tener
un árbol de esa especie.
Pero no hubo brotes
aquella primavera,
ni en la siguiente,
por el tipo de suelo,
la acción de una plaga,
minerales que faltaban
o estaban de sobra,
por todo eso junto
o por nada en particular.
El empleado del vivero,
un estudiante que debía
materias de ciencias agrarias,
nos alentó a esperar.
La revelación de la belleza

era un misterio del mundo
natural.

Pero no hubo una sola flor,
nunca, ninguna, jamás,
solo hojarasca mustia
a principios del verano,
y el esqueleto de un muerto
durante el largo invierno.
Ah, si hubiéramos sabido,
si aquel estudiante crónico
hubiera sido un adivino
para comprender
que la falla de la planta
predecía otro mal sin remedio.
¿Fue el lapacho, entonces?
¿Tenía semillas vencidas
que se esparcieron alrededor
y contaminaron la tierra,
el aire que respirábamos?
No, fue lo que creció
en secreto
a lo largo de los años,
y extendió sus brazos
hasta dejarnos tan estériles
como el mismo árbol.

Lucero

✳✳✳

La última calle, antes del campo, tenía que llevarme a la ruta. Sería un atajo. Me había demorado en el pueblo y caía la tarde.

Se había levantado viento.

Pero la calle corría en diagonal hasta convertirse en un camino pa-ralelo a la ruta. Fui detrás de un espejismo hasta que encontré un recodo para doblar y acceder, por fin, al asfalto.

El atajo fue un desvío.

El viento soplaba como un canto de sirenas. El camino llevaba a otro lugar, fuera del tiempo.

***

En el principio fue el círculo de eucaliptos.

Había una vez una casa, un patio chico, un patio grande, corrales con manga y bebederos, un monte de frutales, una huerta.

Ahora el campo, y el círculo de eucaliptos.

Dicen que por aquí se va hacia un tiempo que debe llegar.

Un círculo no es un laberinto.

Le faltaba una mano de pintura, pero los árboles y las baldosas de la vereda estaban tal cual. Tenía una puerta nueva en el frente y quedaba mal, como si la hubieran puesto de apuro.

Había una vez una casa en un pueblo. Una casa de infancia y adolescencia. ¿Cuándo sacaron del frente la placa que llevaba el nombre y el título, el de doctor?

En la cuadra algunas fachadas y negocios permanecían tal cual y otras habían cambiado.

No se podía decir en qué consistían los cambios. Eran cosas conocidas que se veían diferentes.

En la casa había una luz encendida y alguien, una sombra moviéndose.

Aparecieron como relámpagos la puerta corrediza del living, la ventana que daba al patio y la mesa alrededor de la cual nos sentábamos cuando existía la familia.

Había olvidado esa puerta corrediza. Y que a un costado estaba la mecedora y enfrente un reloj de pared. Se distinguía una sombra, alguien en el interior.

¿Quién era el fantasma, el que estaba adentro o el que estaba afuera de la casa?

***

Se enojaba con las cosas mal hechas:

—Pero hay que tener el cerebro de un mosquito –rezongaba.

No es el pasado, es la vida de antes que no deja de transcurrir.

Y cuando las cosas se complicaban, o un contratiempo:

—Qué manera de renegar.

Renegar era la palabra indicada.

Me acuerdo, y me olvido.

Con el pasado por delante.

***

El viento embolsa las mandarinas y las deja en el pasto crecido. El viento, y las calandrias que se sirven en la planta.

El viento saca un quejido del molino abandonado, una nota que rompe el silencio.

El viento agita el círculo de eucaliptos.

El viento llama al Lucero.

ENTREVISTA A
OSVALDO AGUIRRE

por Carlos Battilana

"Pienso mi poesía como la recreación de una lengua familiar"

Osvaldo Aguirre es poeta. También narrador, crítico y periodista. Un trabajador incansable del lenguaje que desarrolló tareas en el campo cultural. Fue responsable editorial en periódicos y revistas literarias. Publicó numerosos libros de poesía, ensayo y narrativa. Sus artículos, notas, reseñas y entrevistas aparecieron en *Diario de Poesía, Punto de Vista, Ñ, Acción, Radar libros* y *Bazar Americano,* entre otras publicaciones. También ejerció por un breve período la docencia universitaria. La conversación de Aguirre es afable y precisa. Cultiva el perfil bajo y un tipo de atención en diagonal. El tipo de escucha que ejerce acaso tenga la doble impronta de su condición de poeta y periodista. Más que imponer un discurso, habilita el habla del otro. Allí hay una disponibilidad a la indagación, la curiosidad y el aprendizaje. Como en sus libros donde la lengua oral de distintos individuos –habitantes del campo y de los caseríos– es gravitante. En uno de sus poemas, incluido en el libro inédito *Lucero,* registra esa especie de estupor que le causan aquellas personas precipitadas que interrumpen la voz del otro y no reparan en el punto de vista ajeno. Y hasta ni siquiera se escuchan a sí mismas. El poema mencionado se refiere a un abogado *cum laude* (imposibilitado de mantener una conversación) al que el poeta evoca irónicamente. El texto se llama "Romper el hielo" y afirma: "Cada vez que me encuentro / con personas que hablan mucho / lo recuerdo, esas personas / que no se escuchan y tardan / en darse cuenta de lo que dicen. / Si es que se dan cuenta". Agrega que cuando se aleja de los que hablan sin escuchar, aquellas frases pronunciadas de manera atolondrada resultan "un peso imposible de levantar".

En esta entrevista, el habla y el espacio corresponden a Aguirre, que se explaya sobre su producción literaria manteniendo un diálogo imaginario con los autores que influyeron en su trabajo de escritura. Estas preguntas apuntan a indagar acerca de sus poemas y libros, su oficio, los mecanismos de construcción, los tópicos más frecuentes y su visión sobre la poesía. Leamos (escuchemos) entonces la voz de Osvaldo Aguirre.

***

— **¿Cómo se manifestó tu interés por la escritura de poesía?**

Comencé a escribir siendo muy chico. Mis padres me facilitaron los medios, o por lo menos así lo veo desde el presente: me daban cuadernos, biromes, lapiceras vistosas. Ellos no escribían pero hubo imágenes potentes de escritura, sobre todo de mi madre, que había sido maestra rural y tenía una letra hermosa; en un momento encontré un cuaderno de mi abuelo paterno, donde este abuelo se había ejercitado para aprender a escribir, con redacciones, textos copiados, y eso también me llamó mucho la atención. Ese cuaderno, que conservo, había pertenecido a mi bisabuelo, que lo utilizaba para su contabilidad y mi abuelo lo usó como borrador: esa composición de un palimpsesto familiar está en la poesía que escribo. Entre los 10 y los 12 años tuve varias experiencias de escritura: hice un diario, que vendimos un verano con un amigo entre los vecinos del barrio, y que imprimíamos en mimeógrafo; intenté un relato influido por las novelas de Emilio Salgari y después otro al estilo de las de Agatha Christie y también escribí algunos poemas, aunque esto último se desarrolló con más intensidad y de manera diría metódica a partir de la adolescencia.

— ¿Cómo surge el poema en tu caso? ¿Surge como un texto solitario o se inscribe en una serie que, eventualmente, conforma un libro? ¿Cómo te das cuenta a la hora de comenzar a escribir si se trata de poesía o narrativa?

En general tomo notas. Llevo diarios de manera intermitente, que no están tan referidos a la actualidad cotidiana como a recuerdos o a impresiones relacionadas con temas o preocupaciones persistentes. Los poemas surgen en ese marco. La separación entre poesía y narrativa para mí es muy clara, porque lo que escribo en uno y en otro caso refiere a mundos muy distintos. También es distinto en el sentido formal; en poesía trabajo con procedimientos narrativos, pero de una manera que no podría hacerlo al escribir un cuento o una novela. La serie se manifiesta en los poemas en prosa pero no pienso que ningún poema sea un texto solitario, cada uno se inscribe en un proceso en curso tanto en un sentido compositivo como narrativo. Para mí hay un proceso en curso a partir de *Las vueltas del camino*, al que he pensado de manera diferente a través del tiempo.

— ¿Hay un proceso de corrección en tu modo de escribir? Si es así ¿podríamos calificar a ese proceso como una instancia más de la escritura o como un acontecimiento autónomo?

No hay una separación entre un momento de escritura y otro de corrección. Escribir un poema puede llevar años. Cuando empecé, me entusiasmaba cuando salía algo, con la primera versión, pero al día siguiente ese efecto se había desvanecido. El tiempo es una prueba. Hay un punto de partida, una versión preliminar sobre la cual transcurre la escritura propiamente dicha. Pero los ajustes insumen un tiempo particular para cada poema y ni siquiera la publicación en libro es necesariamente un final, porque la reedición es otra oportunidad de reescritura. Los poemas que no retomo en general son los que no publico.

— Los tonos y los giros de la lengua oral se manifiestan en tu poesía desde los primeros libros (*Las vueltas del camino* y *Al fuego*). Más allá de la anécdota, se me ocurre que lo que predomina es la música de fondo que la sostiene.

Sí. Escribo a partir de lo que me quedó sonando: frases hechas, onomatopeyas, latiguillos, refranes, nombres de perros, bromas de entrecasa. Los refranes me parecen una cantera inagotable, no de sabiduría como afirma el lugar común sino de sonoridad y de posibilidad de juego. A veces incluso recupero palabras o formas de decir de un olvido prolongado. Pienso mi poesía como la recreación de una lengua familiar, una lengua escuchada sobre todo en la infancia. A la vez trato de lograr una entonación oral, que el poema sea una lengua hablada. Tuve diversos intentos de escritura pero recién empecé cuando me di cuenta que ese registro de lengua era el objeto de mi poesía, cuando dejaba hablar lo que venía con esa música de fondo. Ese momento es un recuerdo nítido: había ido a visitar a mis padres, en el campo, y tuve una especie de iluminación en que empecé a ver el mundo en esos términos, como si percibiera cada cosa por primera vez. Estaba leyendo *Nadie nada nunca*, de Juan José Saer, y también los cuentos de Borges, fue un período en que leí intensamente *Ficciones* y *El Aleph*. Esa revelación fue posible porque retomé voces, palabras y modos de decir que estaban en la conversación familiar y en los días de infancia en el campo. Resumo mi novela familiar de esta manera: mis bisabuelos vinieron de España y se instalaron en el campo, en el sur de Santa Fe; mis abuelos pasaron toda su vida en el campo; mis padres vivieron la infancia y la adolescencia en el campo y después en la ciudad; yo nunca viví en el campo pero lo visité periódicamente hasta la juventud y esa distancia produce como efecto una mezcla de obligación, de necesidad y de posibilidades. Con el tiempo pasé de compararme con un lingüista que registrara una lengua en trance de extinción a compararme con el último hablante de una lengua en extinción, porque el espacio en el que podía circular ya no existe y no quedan interlocutores. Siento una especie de responsabilidad en ese sentido. Estoy muy atento a los ecos, a las reverberaciones de esa música, y el poema es un lugar donde una historia se sigue inscribiendo. Tengo en claro que esa lengua es una reinvención de mi parte, como escribe Saer: "Cada uno crea / de las astillas que recibe / la lengua a su manera".

— En *Tierra en el aire* hay un trabajo con el espacio como significante que le da cierto dinamismo visual a los poemas. Acorde con el título, lo considero un libro aéreo, ligero, inscripto en la línea de tu poesía anterior, pero también algo diferente. ¿Acordás con esta hipótesis? ¿Cómo fue el proceso de escritura de ese libro?

El trabajo con el espacio surge de un intento de escritura para complicar la forma narrativa. Escribir contra la propia habilidad, como dice Fabián Casas, me parece un buen consejo y lo tengo en cuenta. La escritura de *Tierra en el aire* está asociada a los últimos tiempos de vida de mi padre y a la pérdida de una casa, aunque estos hechos aparecen de modo tangencial en los poemas, son un punto de partida y no de llegada. Alcancé a conocer una época en que la gente, pequeños agricultores, todavía vivía en el campo y en que los pueblos vecinos tenían una existencia particular, que no estaba supeditada a las grandes ciudades. Pero sobre todo conocí la época en que los habitantes del campo y de los pueblos comenzaron a irse, en general a grandes ciudades. Lo que veía entonces, en el proceso de escritura, eran signos de ausencia. Un poema era lo que podía salvar del vacío, como aquello que uno se lleva o resguarda al retirarse de un lugar. *Tierra en el aire* es el lamento por la pérdida y a la vez la valoración de algo constitutivo.

— En tu libro *1864* hay una reflexión sobre una onza de oro como herencia familiar. El libro es, entre otras cosas, una larga meditación sobre la herencia. O los restos de ella. ¿Qué alcance tiene esta noción en tu escritura?

La referencia a la onza es autobiográfica. Según el relato que recibí, mi bisabuelo la recibió de su padre en el momento de embarcarse en San Sebastián hacia la Argentina. Tenía 20 años. Ese momento era muy fuerte en la memoria familiar y el acento estaba puesto tanto en el don de la onza como en el hecho de que mi bisabuelo no volvió a ver a su padre. Es decir que alrededor de la onza hay una continuidad y una ruptura. Esa memoria estaba un poco desvaída y la retomé, tanto porque salvé a la onza como porque me interrogué sobre su significado. El hallazgo de la onza se produjo en un momento complicado de mi vida y me ayudó a sobrellevarlo; también me ayudó a dar unidad a un conjunto de poemas. La poesía está vinculada con una herencia de palabras y de modos de decir pero no una herencia recibida pasivamente sino inventada, construida sobre restos que encontré dispersos y abandonados: el cuaderno borrador de mi abuelo, los manuscritos de mi madre, un herbario que hizo mi padre con descripciones de los ejemplares que recolectó, la onza del bisabuelo.

— ¿Qué lugar ocupa la emoción en la construcción y en la recepción de los poemas? En tu escritura la recepción se logra fuera del efectismo de la estridencia.

Puede ser un objetivo en la escritura: capturar, reconstruir un momento de máxima intensidad. La emoción es como la rúbrica de la experiencia, aquello que sostiene el recuerdo. No hay sucesos pequeños, como escribe Joaquín Giannuzzi, porque la emoción, digo yo, suele estar en los gestos mínimos, en los acontecimientos cotidianos antes que en los extraordinarios, en el acontecer de la vida. Me resulta difícil leer algunos poemas en público porque evocan emociones o sucesos determinados.

— En tu caso particular, la escritura es una labor constante, cotidiana, atravesada también por tu actividad laboral. Te pregunto cómo interviene la noción de deseo en un trabajo tan persistente con la escritura.

Sí, trabajo como periodista. Hubo un año en que publiqué seis libros, pero claro, al final de ese año me separé de la que era mi mujer… El deseo de escribir poesía atraviesa el orden cotidiano, lo interfiere, lo desordena, y le reservo las primeras horas del día, cuando estoy descansado y con las energías a pleno, o bien las últimas horas de la noche, "cuando ya cansado pero terriblemente libre enciendo la lámpara que apagaré muy tarde", como diría Juan Manuel Inchauspe.

— En un contexto político y social de devastación, descalificación y discriminación como el actual proceso que estamos viviendo en Argentina, ¿hay alguna dimensión política en el discurso de la poesía?

Qué difícil, ¿no? Hablar de la función social de la poesía era o es un lugar común, pero desde hace un tiempo se volvió muy complicado y creo que esas reflexiones pecan de ingenuidad o son la expresión de buenas intenciones en el mejor de los casos. Hoy, como escribió George Steiner del ascenso del nazismo y del fascismo en Europa, las palabras son forzadas a decir lo que ninguna voz humana debería decir. En ese contexto la dimensión política del poeta podría estar en proteger y recrear los valores que destruye la ideología dominante. Diría del poeta antes que del discurso de la poesía, porque esto último suele entenderse en términos declarativos y me parece que así no funciona. Atravesamos un momento de desmoralización, ¿no?, en varios sentidos, y no aparece una alternativa al individualismo y al odio, aunque hay múltiples signos y acciones fuertes de resistencia. Parte de la desmoralización es pensar que el estado de cosas que padecemos en Argentina está definitivamente instalado. La dimensión política del poeta podría estar entonces en trabajar contra la corriente dominante y en sostener un horizonte, aunque el nivel de destrucción de la cultura es profundo y seguramente tendrá consecuencias durante muchos años.

— **Tu trabajo crítico se ocupó de poetas en los que pusiste especial atención: Juan L. Ortiz, Roberto Raschella, Francisco Gandolfo, Juan Manuel Inchasupe, Estela Figueroa, Arnaldo Calveyra, Darío Canton, entre otros. ¿Se puede decir que este conjunto de poetas, u otros, gravitaron en la escritura de tu poesía? ¿Reconocés alguna impronta de alguna obra poética en particular? ¿O de algunos títulos de libros precisos?**

Sí, claro. Aprendí algo de cada uno de los poetas que mencionás. O por lo menos recuerdo lecturas y conversaciones que reconstruyo como enseñanzas. Salvo en el caso de Ortiz, tuve la suerte de hablar con ellos, de tener una amistad, y los leí y sigo leyendo. Francisco Gandolfo decía que el poeta llega sin apuro; me encanta esa idea, que en su caso tuvo que ver con publicar un primer libro a los 48 años, después de mucho esfuerzo. Con Calveyra tuve una impresión muy fuerte al leer *Cartas para que la alegría*, leí toda su obra y volví a experimentar esa impresión con los relatos de *El origen de la luz*; de esta lectura recupero una idea que en este momento pienso con particular intensidad, la idea de que el pasado que a uno lo constituyó sigue transcurriendo, que está por delante. Calveyra decía que en su cuarto de París abría la ventana y veía el campo de Entre Ríos, y lo asocio con parte de un diálogo que tuve con Marosa di Giorgio. Me habían preguntado por qué escribía siempre sobre el campo, y empecé a dudar, a preguntarme si no tenía que dejar de lado esa cuestión. En Montevideo, cuando la entrevisté, le trasladé esa pregunta a Marosa di Giorgio: por qué volvía una y otra vez al espacio que es el centro de *Los papeles salvajes*, la casa, el orden familiar, el jardín. Y tomé lo que ella me contestó: ¿por qué dejarlo, si está vivo, si no deja de transformarse y de revelarse?

— Tu trabajo en la escritura de poesía alterna con el ejercicio de la crítica. ¿Podrías establecer algún canal subterráneo entre ambas prácticas? ¿Habría algún vínculo? Según tu punto de vista, ¿el ejercicio crítico por parte de quien escribe poesía tendría alguna particularidad?

La crítica es también un acto de reflexión sobre cuestiones que me importan al escribir poesía. En mi libro *La tradición de los marginales* compilé artículos, reseñas y entrevistas que originalmente hice y publiqué en circunstancias muy diversas, pero que en conjunto tienen para mí un hilo conductor, que sería mi visión de la poesía argentina contemporánea y de una línea que yo reivindico como la más productiva e interesante. Al reseñar un libro estoy particularmente atento a los modos en que otros poetas piensan o trabajan la lengua, las modulaciones orales, el paisaje, a cómo relatan su historia, las lecturas que los formaron. También reivindico el espíritu del curioso, "el curioso sistemático", como diría Elvio Gandolfo. Escribo crítica de modo profesional, es decir teniendo en cuenta a un lector que debe ser informado respecto de un libro, pero desde un punto de vista personal, destacando lo que me parece relevante según mis propios criterios.

— Comenzaste a publicar tus libros de poesía en los años 90. No obstante, tus libros parecen desmarcarse de los registros más transitados de ese período al que se denominó "poesía del 90", vinculados a cierta experiencia urbana y a una relación distante con los objetos, a la vez extrañada y cotidiana. ¿Lo ves de ese modo?

Sí, pero a la vez creo que mis libros son parte de ese período no solo por cuestiones de cronología sino porque a su modo participan de lo que surgió entonces como novedad en relación a la lengua poética y a la incorporación de formas narrativas y de registros coloquiales. En algún momento sentí una extrañeza mutua con esos registros más transitados, como decís: por el tema del campo y por mi trabajo en crónica policial. Sapo de otro pozo, como se dice. Por otra parte, en los últimos años hay cierto interés por el tema rural en la literatura, pero tampoco veo a mis libros comprendidos en ese marco. Sentí más afinidad en cuanto a la visión del campo con otras expresiones artísticas, como la fotografía de Gustavo Frittegotto, o con experiencias puntuales como la obra poética de Marilyn Contardi.

— Según tu biografía, estudiaste la carrera de Letras en la Universidad Nacional de Rosario y participaste de una cátedra que, por entonces, dirigía el poeta Aldo Oliva. ¿Qué recordás de aquella época y qué te dejó esa experiencia?

Vi a Aldo Oliva por primera vez en una clase de Literatura Europea II, de la que él era titular y a la que asistí como oyente. En esa clase daba "Recogimiento", el poema de Baudelaire, y quedé muy impresionado por la intensidad que Aldo transmitía. He escuchado a muchos poetas en la lectura de sus poemas pero para mí ninguno supera la forma en que Aldo transmitía la carga emotiva –el magma, diría él– que podían tener las palabras. Participé en su cátedra después de terminar la carrera, durante tres años. Esa etapa está asociada por otro lado a mi amistad con Fernando Toloza, quien también integró la cátedra, y con el cual compartí además el trabajo primero en la librería Trilce, de Jorge Isaías, después en el diario *La Capital* y finalmente las primeras colaboraciones en *Diario de Poesía*. Fernando murió muy joven, en un accidente de tránsito, y me ocupé de publicar un libro de poemas que él tenía ya cerrado, *Fuera de temporada*, y una recopilación de sus artículos periodísticos, que seleccionó Diego Colomba. Recuerdo especialmente que un verano armamos con Fernando un grupo de lectura del Dolce Stil Novo y otros poetas medievales; un efecto de ese grupo fue "El poeta tradicional", un artículo sobre Francois Villon que publiqué en *Diario de Poesía*, y también el hecho de que problematicé por primera vez para mí la idea de tradición. Aldo se molestó cuando le comuniqué que iba a trabajar en el diario *La Capital*; esa decisión significó que dejara la cátedra, pero seguimos en contacto hasta su muerte, en 2000, y seguí leyendo su obra: preparé el dossier que le dedicó *Diario de Poesía* y escribí un libro en el que reviso su historia como centro de un movimiento de poetas rosarinos y santafesinos entre fines de los años '50 y mediados de los '60.

— Hay una plaqueta editada en 2005 por Dársena 3 titulada *Ningún nombre*. Se desvía, en parte, de tus libros dedicados al campo. Los poemas publicados allí, además de referirse a la última dictadura militar en términos temáticos, apuntan a desmontar los modos del lenguaje de ese período. Así es que aparecen términos y formas de expresión muy característicos del clima de época: "apátrida", "célula enferma", "Dios, patria y familia", etc. El conjunto de poemas tiene como verso final "no termina la noche argentina". ¿Cuál fue la motivación de escritura de estos poemas?

Empecé a escribir los poemas de *Ningún nombre* hacia 1996, cuando se cumplieron veinte años del golpe militar del 24 de marzo de 1976. El verso final alude a la idea, que no es mía, de que la democracia no había cerrado el ciclo de la dictadura, y además era la época en que regían las leyes de impunidad. Ese trabajo surgió en conexión con otras cuestiones que se me impusieron y que derivaron en artículos periodísticos, sobre todo vinculadas a los efectos del terrorismo de Estado en el lenguaje, "el discurso de la muerte" en los términos de Rodolfo Walsh, o lo que decía antes citando a Steiner, que leí en aquel momento. Los poemas también elaboran de algún modo la lectura de *Poder y desaparición*, el ensayo de Pilar Calveiro. La plaqueta incluye una selección de poemas de un libro todavía inédito, que seguí trabajando de modo intermitente hasta hace unos años. Todavía no me convence en un sentido estrictamente poético, pero no siento ninguna urgencia con respecto a la publicación.

— ¿Qué proyectos poéticos y literarios estás pensando o elaborando en este momento?

Este año soy más metódico con mi diario. Confío en que en esas anotaciones encontraré textos futuros. No solo poemas sino también relatos; tengo una línea de cuentos en los que trabajo pequeñas cuestiones de la vida cotidiana, algo que aparece en mi libro *La línea maestra y otros cuentos*. Por otro lado tengo un libro de poemas en curso, que gira en parte alrededor de la idea de que el pasado está por delante. *Nostalgia de la luz*, la película de Patricio Guzmán, me afirmó particularmente en esa convicción. Hace ya unos cuantos años, en una terapia, la analista, Tita Florio, solía cerrar las sesiones preguntándome: ¿Por qué poner por delante lo que está detrás? Evidentemente es una obsesión que tengo, o mi neurosis personal. Esa pregunta me fascinaba, me divertía, me desesperaba, me movilizaba, porque cada vez podía resonar de un modo diferente. No lo sentía como un cuestionamiento sino como una invitación a responder. Sé que una parte del pasado está por delante y eso es algo vital para mí, por lo menos en esta etapa.

LECTURA DE POEMAS
POR OSVALDO AGUIRRE

https://germyd.wixsite.com/osvaldo-aguirre/

LIBROS DE OSVALDO AGUIRRE

1992   *Las vueltas del camino*
(Buenos Aires, Libros de Tierra Firme, colección Todos bailan)

1994   *Al fuego*
(Buenos Aires, Libros de Tierra Firme, colección Todos bailan)

2000   *El general*
(Mar del Plata, Melusina)

2007   *Lengua natal*
(Buenos Aires, Ediciones en Danza)

2010   *Campo Albornoz*
(Montevideo, Hum)

2010   *Tierra en el aire*
(Buenos Aires, Gog & Magog)

2014   *El campo*
(Rosario, Ivan Rosado)

2020   *1864*
(Santa Fe, Ediciones UNL)

2023   *Vendaval*
(Mar del Plata, Es pulpa)